O Verdadeiro Poder

VICENTE FALCONI

O Verdadeiro Poder

INSTITUTO DE DESENVOLVIMENTO GERENCIAL

Alameda da Serra, 500 • 34000-000 • Nova Lima - Minas Gerais • Brasil
Tel.: (31) 3289-7200 • Fax: (31) 3289-7201
Gerência Comercial: Tel.: (31) 3289-7210
E-mail: indg@indg.com.br
www.indg.com.br

Ficha Catalográfica

F182v	Falconi, Vicente
	O verdadeiro poder / Vicente Falconi. - Nova Lima: INDG Tecnologia e Serviços Ltda, 2009.
	158 p.: il.
	Inclui bibliografia
	ISBN: 978-85-98254-41-8
	1. Administração. 2. Organizações. 3. Desenvolvimento gerencial. I. Instituto de Desenvolvimento gerencial - INDG. II. Título.
	CDD: 658.3
	CDU: 658

Catalogação na fonte: Neusa Machado. CRB6/1533

Capa: Rodrigo Hamam - HXR Brandhouse / www.hxr.com.br

Editoração eletrônica: INDG TecS

Revisão do texto: Carlos Bottrel Coutinho - INDG

AGRADECIMENTOS

Agradeço a todas as pessoas que me ajudaram a empreender este livro, desde aqueles que me ensinaram tudo que aqui exponho até os que me ajudaram a compor, montar, vender e entregar.

Tenho agradecimentos especiais a:

ANA CRISTINA VIEIRA BELÉM (Master Black Belt, especialista em Estatística e Método), Cia. Vale, pessoa muito querida, por ter feito, de forma dedicada e profunda, a primeira revisão do texto, ajudando-me a melhorar substancialmente o item 6.4 e dando-me a segurança inicial de que o livro estava no bom caminho.

Agradeço a meus amigos e sócios do INDG - Instituto de Desenvolvimento Gerencial por correções e excelentes contribuições técnicas:

ALOYSIO A. PEIXOTO DE CARVALHO (especialista em Análise de Organização, Processos e Trabalho).

CARLOS ALBERTO BOTTREL COUTINHO (Professor Emérito da UFMG).

CARLOS ALBERTO SCAPIN (especialista em Engenharia de Sistemas).

MÁRCIA DAYRELL FARINHA RODRIGUES (Master Black Belt, especialista em Estatística e Método).

SÉRGIO HONÓRIO DE FREITAS (especialista em Projeto de Organizações e Processos).

Finalmente, agradeço a meus amigos empresários, executivos e professores universitários que, embora sejam pessoas muito ocupadas pela própria natureza de seus cargos, ajudaram muito no sentido de enfatizar o que é mais importante e melhorar alguns trechos que realmente fazem a diferença. O livro sofreu algumas profundas cirurgias e melhorou substancialmente por influência deles:

ANTONIO MACIEL NETO, Presidente, Suzano Papel e Celulose.

CARLOS ALBERTO SICUPIRA, Conselho AB-InBev.

CARLOS BRITO, CEO, AB-InBev.

CAROLINA SANCHEZ DA COSTA, Insper, São Paulo.

EDSON BUENO, Conselho AMIL.

EDUARDO BARTOLOMEO, Diretor, Cia. Vale.

FERSEN LAMBRANHO, GP Investimentos.

GILBERTO TOMAZONI, Presidente, Sadia.

JORGE GERDAU JOHANNPETER, Conselho Grupo Gerdau.

JOSÉ MARTINS DE GODOY, Presidente, INDG.

JUAN M. VERGARA, Galícia Investimentos.

MARIO LONGHI, CEO, Gerdau Ameristeel.

PEDRO MOREIRA SALLES, Conselho Itaú-Unibanco.

ROBERT MAX MANGELS, Presidente, Mangels Industrial.

Consegui medir a contribuição de meus revisores. Os dez capítulos deste livro tinham 100 páginas na primeira versão. Ao final ficou com 126 páginas. A contribuição de meus revisores foi de 26% em volume e muito mais do que isto em qualidade já que eles introduziram correções, figuras e textos em pontos vitais. Até a capa foi escolha deles por votação. Este livro não é meu. Ele é NOSSO.

A todos a nossa gratidão (minha e do leitor) por terem lido o manuscrito com tamanha dedicação, em prazo limitado e feito contribuições extraordinárias.

Belo Horizonte, 30 de julho de 2009.

Vicente Falconi

MÉTODO DA CUMBUCA

Ao trabalhar como consultor de gestão em várias organizações, percebi, com frequência, que muitas dificuldades no processo de melhorias eram causadas por falta de estudo. Julgo que não gostamos muito de ler.

Para eliminar esta dificuldade, sugiro que seja utilizado o estudo em grupo, que estamos chamando de "Método da Cumbuca". Proceda da seguinte maneira:

1. Forme um grupo de no máximo 6 pessoas (mínimo de 4).

2. Faça um encontro por semana de 2 horas, num mesmo dia, no mesmo horário (por exemplo: quarta-feira, às 16h).

3. A sala deve dispor de meios para projetar Figuras e Tabelas deste texto (faça o download destas figuras e tabelas no site www.indgtecs.com.br/download/Figuras_e_Tabelas_O_Verdadeiro_Poder.zip). Deve também conter uma cumbuca com papéis nos quais é escrito o nome de cada participante.

4. Todos os membros do grupo estudam um capítulo toda semana (no caso deste livro seria conveniente dividir o capítulo 6 em duas partes, com uma semana para cada parte). Um dos membros do grupo é sorteado na hora do encontro para apresentar o capítulo da semana aos outros. Como todos estudaram para apresentar, a discussão geralmente é muito boa.

5. Caso o apresentador não tenha estudado, a reunião é desfeita. Não se deve sortear ou indicar outro, nem mesmo aceitar voluntários para apresentar. O método é baseado no compromisso de todos.

6. Após o sorteio o nome retorna à cumbuca. Uma pessoa que apresentar um capítulo numa semana poderá ser sorteado na próxima.

Este método é um sucesso. Não gostamos muito de ler, mas gostamos de trabalhar em grupo.

SUMÁRIO

PREFÁCIO

O Professor Vicente Falconi é o consultor mais importante do Brasil. Atende as maiores empresas brasileiras e diversos órgãos da administração pública. Atua em Conselhos de Administração e presta assessoria em diversos países. É co-fundador do INDG - Instituto de Desenvolvimento Gerencial, organização que conta com 850 consultores e que gera 15% do seu faturamento no exterior. E como o Professor Falconi conseguiu essa notoriedade? Os que já leram os seus livros anteriores e os que conviveram e trabalharam com ele sabem que o Professor Falconi é bom de teoria e é bom na prática. É excelente no planejamento e melhor ainda na execução. Dedica-se com a mesma energia e paixão definindo metas ousadas em organizações complexas e ensinando o gerenciamento da rotina em todos os níveis da organização. Agora, com o novo livro O Verdadeiro Poder, o Professor demonstra mais uma vez que, além de ser capaz de falar a língua do chão da fábrica como poucos profissionais com o nível de sofisticação desse Ph.D. em Engenharia Metalúrgica e Professor Emérito da Universidade Federal de Minas Gerais, também é fluente na língua que se fala nas diretorias e nos conselhos de administração das empresas. O Professor Falconi fala igualmente a língua da administração pública moderna, onde ele tem conseguido resultados expressivos.

Não é por acaso que as empresas brasileiras que contam com a consultoria do INDG há mais tempo são as que cresceram mais e que se tornaram as primeiras multinacionais brasileiras. Também não é por coincidência que os governos estaduais que estão sendo assessorados pelo Professor Falconi são os que têm os melhores índices de avaliação das suas respectivas populações. Aqui vale destacar a atuação do Movimento Brasil Competitivo que, sob a liderança do extraordinário empresário Jorge Gerdau, apoia diversos órgãos da administração pública nos processos de modernização gerencial. O MBC conta com a participação de diversos empresários visionários e patriotas.

Esse é o sétimo livro do Professor Falconi. Nas vezes anteriores ele ensinou os métodos gerenciais mais apropriados para a nossa cultura empresarial. Agora, ele se volta para a alta administração e apresenta, de forma direta, objetiva e concisa, os conceitos que desenvolveu e os exemplos práticos que vivenciou nos últimos vinte anos de trabalho intenso e apaixonado. Ele mescla recomendações aplicáveis imediatamente nas organizações, como é o caso do capítulo Fatores que Garantem Resultados, com análises teóricas profundas, como é o caso do capítulo onde ele discorre sobre o Método Gerencial, o Pensamento Sistêmico e o Sistema de Gestão. Na parte final do livro ele ensina o que todos nós, que lidamos no dia a dia com a busca da excelência operacional das nossas empresas, queremos saber: Como Conduzir as melhorias nas Organizações, Como Operar com Resultados Estáveis e como Gerenciar a Aquisição de Conhecimento na Organização.

Esse livro merece ser lido por empresários, governantes, executivos e jovens empresários que estejam genuinamente interessados em colocar as suas organizações no mesmo nível daquelas que apresentam os melhores resultados do mundo em suas áreas de atuação. Esta obra vai ser a referência fundamental em termos de gestão para aqueles que acreditam que é possível "construir" pessoas, empresas e a própria nação por meio do conhecimento.

Boa leitura.

Antonio Maciel Neto.
Presidente da Suzano Papel e Celulose.

PREFÁCIO DO AUTOR

Escrevi este texto na mais pura intenção de deixar para meus semelhantes um relato dos fatores que são importantes e decisivos para construir uma grande organização. Procurei resumir o que observei e aprendi ao longo dos últimos 15 anos. Como consultor em método gerencial, tive a oportunidade única de participar de Conselhos de grandes empresas, onde pude aprender coisas que não existem em livros. Participei também de experiências bem-sucedidas em governos, inclusive no gerenciamento de crises nacionais, que me deixaram um conhecimento que procuro compartilhar com todos. Estou convencido de que as lideranças empresariais e governamentais poderão tirar deste livro conceitos e idéias que acrescentarão muito ao desenvolvimento de nosso País.

O texto enfatiza a importância do entendimento do significado de Método e de Sistema de Gestão, fazendo um esforço para que todos se libertem de nomes comerciais atribuídos ao método e se concentrem no método em si. Não existem vários métodos para atingir metas, só um, o Método Cartesiano proposto por volta de 1600. Um consultor pode enfatizar mais um ponto do que outros, ou pode ainda utilizar recursos de análise mais ou menos sofisticados, mas isto não quer dizer que o método seja diferente. O mesmo acontece com a expressão "Sistema de Gestão": cada consultoria tem seu próprio entendimento. Como o sistema de gestão é constituído de método, só existe um. Cada consultor cria um modelo diferente para o que entende como sistema de gestão. A grande maioria destes modelos não passa no teste de consistência com os fundamentos do conceito de sistema. Poucas pessoas entendem de sistemas.

Como uma empresa é constituída por pessoas e outros recursos, ela tem uma curva de aprendizado para tudo que se queira melhorar. Precisamos entender e dominar esta curva de aprendizado para que tenhamos a possibilidade de cultivar empresas excepcionais. Empresas excepcionais são feitas de pessoas excepcionais e uma cultura de alto desempenho.

Sempre ouvi a frase: *"Informação é poder!"*. Não acredito muito nela. As empresas e os governos estão cheios de informação em seus computadores e não sabem o que fazer com ela! Além disto, existe ainda, disponível para todos, uma quantidade gigantesca de informação útil na internet e outros meios. Estou convencido de que o verdadeiro poder está no conhecimento que é extraído das informações pela prática da análise. Somente a análise permite conhecer a verdade dos fatos o que melhora substancialmente a tomada de decisões, garantindo a obtenção de excelentes resultados. Poderíamos então dizer o seguinte: *"Capacidade Analítica e Conhecimento, aliados a uma Liderança que faça acontecer, são **O Verdadeiro Poder!**"*.

O conhecimento por si não cria valor. O valor é criado quando o conhecimento é utilizado na construção de planos de ação cuja execução é garantida pela liderança.

A prática da análise para fins gerenciais foi trazida ao Brasil pelos japoneses ainda na década de 80. Isto foi antes da revolução da informação. Usávamos as "sete ferramentas da qualidade", que pareciam ser suficientes naquela época. De lá para cá o mundo mudou em termos de informação de uma tal maneira que nós, que nos graduamos antes de 1995 e que ocupamos a liderança das empresas, não temos a sensibilidade para perceber todas as possibilidades deste novo mundo da internet, do Google, do email, dos softwares ERP e de estatística, do barateamento da estocagem da informação, da banda larga, da TV digital, dos celulares, do cabo ótico, do Excel, do Wi-Fi, da foto digital, do LCD, entre outras. Estes avanços foram introduzidos entre 1995 e 2005. São desenvolvimentos recentes e a vasta maioria destas pessoas não tem domínio sobre estes recursos, não percebe seu alcance e nem o que poderá decorrer de sua integração. Você conhece todos os recursos do software Excel? Eu não. Os jovens sim. Eles é que criaram as grandes inovações nesta área em todo mundo. A informática está mudando muito as práticas gerenciais (mas não o método!).

Este livro procura transmitir o conceito de que, muito embora tudo possa mudar à nossa volta pelos desenvolvimentos tecnológicos rápidos e crescentes, o *Método* permanece o mesmo desde 1600 e não temos substituto à vista. Decorre deste fato que o *Sistema de Gestão*, como hoje conhecido, também estará por aqui por um longo tempo. Da mesma forma, as *Pessoas* continuarão a ser a principal alavanca de sucesso para uma organização e sempre será por meio delas que o sucesso será alcançado. Sob estes três aspectos nada mudou.

Finalmente, quero pedir ao meu leitor o seguinte entendimento: não dá para aprender todos os conceitos e técnicas contidos neste texto de uma só leitura. Nós, seres humanos, levamos tempo para aprender. O melhor aprendizado será adquirido pela prática.

Pedindo desculpas com antecedência por ter sido incapaz de simplificar o texto além do que consegui, quero deixar abaixo um depoimento de um de meus revisores e amigo, o Juan Vergara (foi Diretor da InBev):

*"Lembrei-me de inúmeras reuniões onde escutava falar de alvos, rotinas, variáveis, causas, estratificações, fenômeno, método, dispersão, etc.... e eu parecia não entender "nada"... achava tudo isso complicado .... "**o pau comendo lá fora e eu aqui escutando este monte de papo teórico**". Em retrospectiva, a "rejeição" ao método não devia ser mais do que medo de admitir o desconhecimento. Ao terminar a leitura do Capítulo 6, constato não só que entendo todo aquele linguajar complicado, mas domino uma boa parte das ferramentas e metodologias propostas. E como aconteceu isto, se, entre a primeira vez que ouvi falar e hoje, não parei para estudar a fundo o método? Foi pela prática (intensa) dele. Com esta reflexão quero dizer o seguinte: poderia o texto em alguns momentos ser intimidador? Acredito que sim, quando entra em "linguajar" complicado sem antes ter simplificado, por exemplo, com casos simples e práticos (como acontece de maneira correta na segunda metade do Capítulo 6). Ou seja, se os leitores são aquele Juan do "século passa-*

do" (e muitos, se não a maioria, serão) têm que saber que o texto vai lhes dar "medo" em alguns momentos (críticos); medo com o qual pode ser melhor lidar aberta e diretamente, para transformá-lo em turbina e não em barreira do aprendizado."

A renda integral da venda deste livro é dedicada ao ISMART - Instituto Social para Motivar, Apoiar e Reconhecer Talentos (www.ismart.org.br), cuja missão é patrocinar estudo de primeira qualidade para crianças pobres mas de elevado potencial mental. Acredito profundamente no conhecimento como instrumento libertador das pessoas, das organizações e das sociedades. Não existe outra maneira a não ser começar pelas pessoas.

Belo Horizonte, 1 de agosto de 2009.

Vicente Falconi

INSTRUÇÕES PARA LEITURA DO LIVRO

A Figura abaixo é um mapa para a leitura do livro.

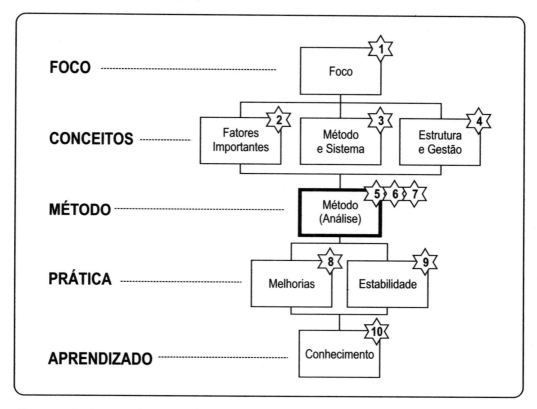

O capítulo 1 trata do Foco da Gestão, nem sempre bem entendido por todos na hora da prática. Depois, nos três capítulos seguintes, é fornecida uma base conceitual para que possamos explorar o método em conjunto com vários outros fatores. Em seguida, conduzimos o leitor no aprofundamento do método, principalmente no que toca à análise de informações, prática que se torna tão mais importante quanto mais vivemos a era da informação. Tendo como base o método, passamos à prática de obter melhores resultados financeiros numa organização, alertando sempre para o fato de que não existem melhorias sem estabilidade proporcionada pelo Gerenciamento da Rotina do Trabalho do Dia a Dia levado às últimas consequências. Terminando o livro, mostramos que a prática do método leva à acumulação de conhecimento e que este processo deve ser gerenciado para que possamos atingir resultados inimagináveis.

Parte I
Fatores Fundamentais na Gestão

1 Foco da Gestão

Só é gerenciado aquilo que se mede.
Kaoru Ishikawa

1.1 Por que Falhamos?

A vitória de uma organização, seja ela uma escola, um hospital, uma prefeitura, uma empresa ou até mesmo o Governo Federal, é algo desejado por todos e, quando acontece, é uma grande fonte de alegria e satisfação. É fato amplamente conhecido que alcançar bons resultados é uma das maiores fontes de motivação humana[4].

Se isto é verdade, por que falhamos?

Falhamos porque:

(a) Não colocamos as metas certas (ou não definimos nossos problemas de forma correta).

(b) Não fazemos bons Planos de Ação, seja porque desconhecemos os métodos de análise, seja porque não temos acesso às informações necessárias (falta conhecimento técnico).

(c) Não executamos completamente, e a tempo, os Planos de Ação.

(d) Podem ocorrer circunstâncias fora de nosso controle.

Este livro, dedicado aos líderes das organizações, trata das maneiras de evitar a derrota e alcançar a vitória e a alegria nas organizações. O livro mostra como fazer o que está ao nosso alcance para não falhar.

1.2 Focando a Organização

O gerenciamento é, por sua natureza, focado nos fins e, portanto, na missão geral de qualquer organização, que é "satisfazer necessidades de seres humanos". A satisfação destas necessidades é o objetivo de qualquer organização, privada ou pública. Os grandes problemas das organizações humanas estão em nossa incapacidade de cumprir esta missão.

Existem quatro tipos de seres humanos que estão nos objetivos de qualquer organização e são chamados *stakeholders* ou "partes interessadas": Clientes, Empregados, Acionistas e Sociedade. A sobrevivência a longo prazo é garantida pela satisfação simultânea das necessidades (que algumas vezes podem ser antagônicas!) destas partes interessadas. No entanto, existe uma métrica que nos indica a eficiência em cumprir esta missão: a métrica do Desempenho Financeiro da Organização, que é também uma métrica de satisfação do acionista. A saúde financeira é essencial pois sem ela não existe vida na organização. Satisfeita esta métrica, os processos da organização devem ser direcionados para as métricas de Satisfação do Cliente, de Satisfação dos Empregados e de Satisfação da Sociedade como mostra a Figura 1.1. Além disso, a métrica financeira permite traduzir todos os demais objetivos para uma unidade de medida única, o que possibilita compará-los e identificar com mais clareza as prioridades.

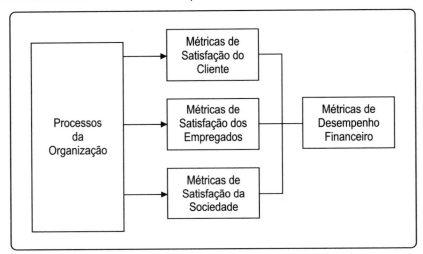

Figura 1.1: Modelo das principais métricas de uma organização.

Estou convencido de que as métricas financeiras são as principais não só para empresas mas também para governos e até para igrejas. Nada existe sem recursos financeiros, que são meios de troca de trabalho humano.

Algumas pessoas dos governos costumam falar que o objetivo do Estado não é o lucro com o sentido de dizer que as métricas financeiras não são importantes. Pergunte a um Governador se ele não teria interesse em ter mais recursos para investimentos. É óbvio que todos querem. Então deveríamos ter um indicador financeiro do tipo "percentual do orçamento disponível para investimento" e trabalhar para que este seja o maior possível, reduzindo os custos e a sonegação. Seria um equivalente do EBITDA (ver item 1.3) para a área pública.

Outra idéia errada de algumas poucas pessoas é que em governos não deveria existir a preocupação com produtividade. Não conhecem a definição de produtividade: "fazer cada vez mais com cada vez menos". Governo é uma organização de serviços ao povo que deve ser gerenciada como qualquer empresa.

Cada uma destas métricas deve ser considerada em todos os níveis da organização, ou seja, tudo que se faz deve ter foco financeiro, foco no cliente, foco no funcionário e foco na sociedade. Isto é raro, mas é como deve ser.

Foco Financeiro: É muito comum que níveis gerenciais mais baixos de uma organização nunca considerem métricas financeiras. Fala-se em reduzir custos quando pessoas que trabalham numa aciaria, por exemplo, nem sabem quanto custa um quilo de certa liga utilizada na fabricação do aço. Portanto, não percebem as necessidades de controle da precisão de seu peso e dos cuidados com sua estocagem. É por esta razão que todos os indicadores físicos deveriam ter, em paralelo, indicadores com valores em moedas para que eles sensibilizem mais o executivo e as equipes técnicas.

> *Certa empresa estava com vários projetos de redução de custos quando houve uma mudança cambial que criou, repentinamente, uma forte demanda para seus produtos. Ora, a partir deste momento, do ponto de vista financeiro, deveriam ser considerados projetos de aumento de Eficiência Global dos equipamentos de tal maneira que houvesse aumento de produção. Numa situação como esta, os ganhos de produção podem ser mais importantes do que ganhos de custo. Cada projeto deve ser avaliado pelo "controller" da empresa que deve ser acionado para problemas deste tipo. Por outro lado, tenho encontrado pessoas trabalhando arduamente em projetos de melhoria de eficiência fabril (produção) em situação declinante de mercado.*

A área de vendas é um campo minado. No nível mais operacional as pessoas são cobradas por "volume de vendas" e "positivação" (percentual de vendas efetuadas por visitas realizadas) e acabam por tomar iniciativas que prejudicam os resultados financeiros da empresa, como exageros em desconto ou *drop size* (tamanho do volume a ser entregue no cliente) pequeno para "positivar" visitas ("drop sizes" pequenos oneram a logística).

Foco no Cliente: Outro problema das organizações é a falta de percepção da necessidade de foco na satisfação dos Clientes. "O verdadeiro capital de uma empresa é a preferência de seus Clientes", mas isto não é percebido em toda organização. Geralmente as pessoas repetem este slogan, concordam com ele, mas são incapazes de tomar iniciativas visando à sua implementação.

> *Certa feita fomos chamados pelo Presidente de uma empresa para "implementar um Programa da Qualidade". Esta era uma ação recomendada pelo Planejamento Estratégico que havia sido recentemente realizado. Então perguntei àquele Presidente qual era a meta do Programa da Qualidade. Ele não sabia, mas ficou de enviar. Depois de duas semanas de espera telefonei e ele disse que ainda não tinha a meta. Decidiu então marcar uma reunião com seus Diretores e alguns Gerentes da área comercial. Na reunião ninguém "confessava" problemas de qualidade. O Diretor Industrial dizia que tinha a melhor qualidade do mercado e "uma das melhores do mundo" e assim por diante. Continuamos a conversar e, depois de algum tempo, no momento de falar sobre práticas comerciais, um dos gerentes mencionou que a empresa dava descontos para conseguir vender. Perguntei se o concorrente também dava e eles disseram*

que os descontos eram dados sobre o preço do concorrente e que eram da ordem de 5 a 15%. Perguntei se poderia considerar uma média de 10%. Disseram que sim. Então, arriscadamente, concluí: "Como o faturamento é de R 650 milhões, temos uma perda por qualidade de produto da ordem de R 65 milhões, portanto, temos uma meta para o programa de qualidade!!!". O "mundo veio abaixo" na reunião e finalmente concluímos que a melhor maneira de iniciar o programa seria fazer uma pesquisa ao lado dos Clientes para saber a real situação dos produtos da empresa. Bem, a pesquisa foi feita e concluído, entre muitas outras coisas, o seguinte:

1. Das doze características da qualidade do produto medidas pelos Clientes a empresa só media uma, mesmo assim, a que media era a terceira em importância para o Cliente. A empresa era melhor que o concorrente na característica que ela media, mas era pior em todas as outras!

2. Descobriu-se ainda que o Catálogo Anual de Produtos saía com três meses de atraso em relação ao concorrente e, como se tratava de produto de moda, chegar antes ao mercado era essencial para o Cliente.

Descobriram-se ainda várias outras disfunções em relação ao mercado sobre as quais foram colocadas metas para um verdadeiro "Programa da Qualidade".

Para focar no Cliente, especialmente nas organizações de serviço ou de produtos de mercado, existe um método poderoso que deve ser dominado por pessoas da organização. Este método é denominado "Desdobramento da Função Qualidade" (QFD - Quality Function Deployment). Ele deve ser utilizado continuamente para alinhar os produtos com as necessidades do Cliente, maximizando o valor agregado e reduzindo custos em características que não agregam valor. Focar no Cliente tornou-se, além de uma atitude e cultura organizacional, uma prática científica.

Foco no funcionário: A experiência me mostrou, com ampla margem de certeza e constatação, que um valor elevado do *turnover* de pessoal prejudica a produtividade das equipes (tanto de vendas quanto fabril) e é fatal para a qualidade do produto. No entanto, este indicador de satisfação humana com a situação do trabalho é calculado mas geralmente desconsiderado pelas lideranças. Por diversas vezes, em muitas empresas, tenho encontrado índices de *turnover* de pessoal da ordem de 25 a 30% ao ano para a área industrial e de até 45% ao ano para a área de vendas. Quando reajo a estes números, tenho ouvido como resposta que *"são naturais para este tipo de atividade na região"*. Na verdade, um elevado *turnover* de pessoal indica claramente a insatisfação das pessoas com as condições de trabalho e nem sempre é fácil para as chefias concordarem que suas equipes não estão satisfeitas. O *turnover* de pessoal equivale a um vazamento de conhecimento da empresa. O conhecimento que pode ser reposto por aulas ou instruções (conhecimento explícito)[12] toma pouco tempo e recursos para ser incorporado, mas o conhecimento prático adquirido ao longo dos anos (conhecimento tácito)[12] é uma perda às vezes irreparável. É impossível manter um processo estável com 30 a 40% de gente nova. Isto acarreta um custo elevadíssimo.

> *Há alguns anos, em um Cliente nosso, havia várias fábricas com turnover de pessoal elevado, da ordem de 25% e áreas de vendas com turnover acima de 40%. Na época aquilo foi considerado pela administração uma "doença" da empresa e que ganharíamos em produtividade se fizéssemos um esforço de reduzir aqueles números. Isto foi feito. O turnover de pessoal nas fábricas foi reduzido para algo entre 4 e 6% ao ano e nas frentes de vendas, já ouvi falar de números como 9%. O resultado foi um grande ganho de produtividade fabril e de vendas. Constatamos que a relação de produtividade com turnover de pessoal é linear. Isto é óbvio, pois deixamos de jogar conhecimento fora.*

Acidentes no trabalho são inaceitáveis. Conheço uma usina siderúrgica que fica anos sem ter um acidente sequer. *Turnover* baixo, padronização e treinamento no trabalho são fundamentais, em suma, bom Gerenciamento da Rotina.

Foco na sociedade: Finalmente vem a questão de relacionamento com a comunidade. O que está por trás disto é a necessidade de um comportamento ético generalizado na empresa. Não se pode difundir um comportamento ético quando a empresa sonega impostos, polui, distribui produtos não recomendados, etc.

> *Certa feita, na apresentação interna de uma empresa, ouvi, de um engenheiro da manutenção mecânica, o porquê de o conserto da máquina precisar ser feito à noite: "é que sai um fumaceiro danado e enquanto o pessoal da cidade está dormindo ninguém vê!". Sem comentários.*

Todas as questões diretamente ligadas ao relacionamento da organização com a sociedade, entre elas a questão ambiental, se bem observadas, baseiam-se na questão da ética. O conceito de ética não é bem percebido pela maioria das pessoas. O conceito é por vezes ligado a questões específicas mas não a um entendimento amplo ligado ao "amor ao próximo". Como consequência, não é ético, e portanto não deve ser praticado, tudo que possa eventualmente prejudicar nosso semelhante hoje ou em qualquer momento futuro. Isto posto, fica entendida toda a questão comportamental da organização em relação a seus "stakeholders".

Indicadores estabelecidos nestes quatro focos dão origem a vários outros, num processo de desdobramento lógico chamado Gerenciamento pelas Diretrizes[7] e, se todos os indicadores estiverem alinhados por meio de relacionamento causa-efeito, a empresa estará alinhada para garantir a sua própria sobrevivência.

1.3 Métricas de Desempenho Financeiro

Muito embora não seja objetivo deste texto analisar indicadores, é importante mencionar alguns, já que constatei, ao longo dos anos, que ainda é baixa a percepção do verdadeiro foco gerencial da empresa, mesmo em algumas bem grandes.

Os indicadores financeiros refletem o nível de gerenciamento geral da organização. É óbvio que, em conjunto com estes, os outros indicadores referentes a Clientes, Empregados e Sociedade também sejam acompanhados para evitar que os indicadores financeiros sejam melhorados às custas dos outros (por exemplo: o preço pode ser aumentado melhorando os resultados e, como decorrência, a empresa pode perder mercado).

Existem alguns indicadores financeiros que dizem a verdade sobre a gestão:

A. **EBITDA** (Earnings Before Interest, Taxes, Depreciation and Amortization): Este indicador mostra a capacidade operacional da empresa de gerar caixa, da eficiência de seus equipamentos, da capacidade de sua equipe operacional, da capacidade de sua equipe de vendas, da eficiência de seus sistemas, de sua localização, do nível de gastos com o *overhead*, da capacidade do sistema de compras, etc. Em resumo, este indicador mostra o desempenho operacional da empresa. Ele exclui o nível de endividamento bem como a eficiência da gestão financeira, principalmente da gestão do capital empregado. Resumindo: o EBITDA é um indicador financeiro que reflete o nível de operação da máquina da empresa, excluindo o desempenho do setor financeiro, o nível de endividamento e do capital empregado. A rigor, creio, seria mesmo o indicador operacional mais importante! Mostra a competência da máquina produtiva da organização.

B. **MARGEM DE EBITDA**: O EBITDA, quando utilizado de forma absoluta, serve para acompanhar o desempenho da empresa ao longo do tempo, mas não permite comparações com outras empresas. Para este tipo de comparação é utilizada a Margem de EBITDA que é o valor do percentual do EBITDA em relação a ROL (Receita Operacional Líquida). Algumas empresas utilizam um índice de EBITDA por tonelada ou por "Unidade de Produção" que é equivalente à Margem de EBITDA.

C. **LUCRO LÍQUIDO**: Reflete o desempenho da empresa inteira levando em conta todos os fatores (exceto o Capital Empregado). É o indicador financeiro final da empresa, mas ele sozinho, por ser tão amplo, não oferece indicações mais localizadas na empresa para tomada de ação gerencial.

D. **MARGEM LÍQUIDA**: É o valor do percentual do Lucro Líquido em relação à ROL (Receita Operacional Líquida). Este indicador permite comparar empresas, mas não identifica quais pontos da empresa são mais fortes ou mais fracos. Serve apenas para dizer se a empresa está bem ou não, em função dos resultados das outras empresas do mesmo setor.

E. **VALOR ECONÔMICO ADICIONADO**: É o valor da rentabilidade do Capital Empregado em excesso ao custo médio ponderado do Capital Empregado. Em resumo, este indicador mostra uma comparação entre o rendimento do Capital Empregado em sua empresa e o empregado no mercado de capitais. Uma outra maneira de levar em conta o Capital Empregado é calcular o ROCE (Return On Capital Employed).

F. **FLUXO DE CAIXA LIVRE**: indica a evolução dos recursos financeiros disponíveis no caixa da empresa a cada momento. A evolução do caixa pode ser muito importante em situações de restrição de crédito, quando o controle do caixa disponível é fundamental. A Tabela 1.1 mostra um exemplo de um Controle do Fluxo de Caixa Livre.

Tabela 1.1: Exemplo de Fluxo de Caixa Livre (Orçamento).

(Números em milhares de Reais)	2008	Jan	Fev	Mar	Abr	...	Out	Nov	Dez	2009
Receitas Líquidas	1.309.799	87.214	88.506	90.806	88.879	...	106.943	105.651	102.217	1.152.788
EBITDA	273.086	9.373	14.836	13.281	18.497	...	25.273	24.286	22.909	240.806
(+/-) Capital de Giro		17.416	985	-18.520	1.872	...	178	-4.668	11.337	7.511
Ativo Circulante		24.401	-466	-6.202	-1.665	...	-1.840	-6.744	10.302	-4.756
Contas a Receber (Clientes)		27.346	-2.604	-9.983	-8.487	...	-6.760	-6.239	3.844	-32.409
Estoque		-4.890	1.887	3.754	7.036	...	4.942	-401	6.488	25.903
Crédito de Tributos		1.944	252	27	-215	...	-22	-105	-30	1.750
Passivo Circulante		-6.985	1.451	-12.318	3.538	...	2.017	2.076	1.035	12.267
Contas a Pagar (Fornecedores)		-8.075	-575	2.849	4.099	...	-482	1.493	-653	9.448
Impostos		-386	275	1.235	-1.328	...	165	156	-757	3.581
Obrigações Trabalhistas e Previdenciárias		1.477	1.750	-16.402	-1.899	...	2.334	427	2.445	-762
Adiantamentos de Clientes										
(-) Investimento em imobilizado (Capex)		-1.171	-2.732	-1.102	-1.199	...	-3.233	-2.290	-2.931	-29.735
(+/-) Outros		-5.908	-2.091	1.597	-6.021	...	-464	-357	-338	-16.532
(-) Imposto e contribuições sobre o Lucro		-196	-17	2.568	674	...	-265	688	-2.230	-5.163
(=) Fluxo de Caixa Operacional		19.513	10.981	-2.177	13.824	...	21.489	17.660	28.747	196.887
(-) Gasto Líquido com Juros		-1.335	1.599	-51.479	-10.179	...	1.458	-21.240	1.662	-83.844
(-) Aumento/Redução Líquida de Empréstimos		-7.945	274	1.058	-14.729	...	126	124	-1.531	-16.821
Empréstimos Contraídos		82	353	21.350	1.621	...	190	60.190	2.535	94.250
Pagamento de Empréstimos Contraídos		-8.026	-79	-20.291	-16.350	...	-64	-60.065	-4.066	-111.071
(=) Financiamento de Fluxo de Caixa		-6.610	1.873	-50.421	-24.909	...	1.584	-21.116	131	-100.666
(=) Dividendos										-14.634
(=) Fluxo de Caixa Livre	440.615	12.904	12.854	-52.598	-11.085	...	23.073	-3.456	28.878	81.587
Caixa	185.801	198.705	211.559	158.962	147.876	...	241.967	238.511	267.389	267.389

Existem muitos outros indicadores de segunda linha (que são formadores dos indicadores citados acima) cujo acompanhamento é importante.

A mensagem mais importante é que estes indicadores não podem ser acompanhados apenas pela alta administração. Eles devem ser desdobrados por toda a organização de forma que possam ser trabalhados continuamente. Por exemplo: o pessoal de manutenção deve ter uma noção muito precisa da necessidade de se obter o máximo do capital empregado mas também o menor custo. Em manutenção existem sempre opções de minimizar custos ou capital empregado. Podemos utilizar as máquinas até que quebrem para minimizar custo de peças de reposição, mas teremos muitas quebras e menor utilização do capital empregado, ou então podemos fazer a manutenção fazendo trocas preventivas de peças para evitar quebras (como é feito em aviões) com custo maior mas utilizando mais o capital empregado. Estas opções devem depender do mercado e as pessoas que trabalham na operação devem ter consciência destes fatos. Devem ter a consciência de que o Capital Empregado e os Custos são itens preciosos para uma organização e qual deles é mais importante a cada momento.

1.4 Pontos vitais da organização

Uma vez entendido o verdadeiro foco da organização, um outro conceito importante é o entendimento dos fatores que são realmente importantes para que bons resultados possam ser alcançados. Vamos chamar estes fatores (meios) de "pontos vitais da organização".

Custo e capital empregado baixos sempre serão "pontos vitais" para qualquer organização, no entanto, serão muito mais importantes para um produtor de commodities do que para um produtor de artigos de moda feminina, em que a capacitação em design, a inovação e a marca são fatores que fazem a verdadeira diferença. Uma vez estabelecidos os focos da organização, é conveniente difundir para toda a organização a consciência das atividades da empresa que são "pontos vitais da organização". O que é realmente importante em sua organização? Quais os aspectos de seu negócio nos quais você tem que ser o melhor do mundo para garantir a sua sobrevivência em qualquer circunstancia?

Na AmBev todos sabem que custo baixo é muito importante (existe sistema gerencial montado para este fim, envolvimento de centenas de pessoas e a cobrança é contínua) mas todos também sabem que vendas é uma atividade vital para a empresa. Mas não basta falar, tem que atuar. Os Conselheiros da empresa têm reunião do Conselho num dia e, no dia seguinte às 6:30h da manhã, todos estão no "lobby" do hotel, prontos para visitar o mercado. Cada Conselheiro sai com um vendedor e um supervisor e percorre toda a rota de vendas. Na volta, às 11h da manhã, todos se reúnem outra vez com a presença da equipe de vendas local e cada Conselheiro faz seus comentários sobre o que viu. Outra atividade naquela empresa é o "Dia de Vendas", quando todos os funcionários vão para o mercado para verificar como o produto está sendo vendido e participar do processo de vendas. Outra coisa: todos também sabem que para chegar a Presidente da empresa tem que passar por vendas! O resumo da questão é que, se uma atividade for realmente um "ponto vital da organização" ela tem que ser vivida e sentida por todos e todos devem saber que ela é a mais importante por atos e não somente por palavras.

Um outro "ponto vital" de qualquer organização é o cuidado com os Fornecedores. Também neste caso a importância relativa dos Fornecedores pode variar desde um produtor de commodity, em que a importância pode ser menor até uma montadora onde a importância dos fornecedores é, simplesmente, vital. Existe hoje uma tendência mundial de mudar de uma atitude antagônica em relação aos fornecedores, em que se procura tirar o máximo numa negociação, para uma atitude de colaboração buscando melhorar a competitividade de toda a cadeia de valor para benefício geral. A Toyota e várias outras empresas japonesas têm levado esta prática ao ponto de se tornarem sócias de seus Fornecedores.

É necessário que todas as pessoas da empresa conheçam e vivam estes pontos vitais para que exista a consciência vivida de que naqueles pontos a organização tem que investir e se dedicar, ainda que for em sacrifício de outras áreas.

2 Fatores que Garantem Resultados

Poucas coisas são realmente importantes num negócio.

Sam Walton

Existem três fatores fundamentais para a obtenção de resultados em qualquer iniciativa humana: Liderança, Conhecimento Técnico e Método, como mostra a Figura 2.1. Seja em empresas, governos, forças de segurança, forças armadas, fundações, escolas, hospitais, etc., estas três frentes devem ser constantemente *cultivadas* (cultivar é tratar continuamente e com carinho para garantir o crescimento). Elas não são como um tapete que você compra, instala e pronto. O desenvolvimento destas três frentes é um trabalho contínuo, para o resto da vida.

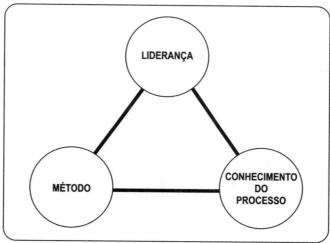

Figura 2.1: Modelo dos Fatores que Garantem Resultados.

2.1 Desenvolvendo o Conteúdo da Liderança

Entre os três fatores citados acima, a liderança é o que há de mais importante numa organização. Sem ela nada acontece. De nada adianta método ou conhecimento técnico se não existe liderança para fazer acontecer.

Existe bibliografia ampla que trata do tema da liderança, em grande parte relacionada à figura do líder e como ele deve ser. Não é disto que se trata aqui. Neste texto a liderança é abordada quanto ao seu conteúdo, que deve ser continuamente

13

cultivado (a palavra "cultivada" é utilizada neste texto em seu sentido específico, para dar a idéia do "esforço para fazer crescer").

A única definição de liderança que interessa às organizações é: **Liderar é bater metas consistentemente, com o time e fazendo certo**. Quem não bate metas não é líder. Se ser um bom líder é conseguir resultados por meio das pessoas, então a pessoa do líder deve investir uma parte substancial de seu tempo no desenvolvimento de sua equipe[1]. Portanto, o tema de Recursos Humanos é central no desenvolvimento do "Conteúdo da Liderança" (Agenda do Líder).

Partindo do pressuposto de que a boa Governança é condição fundamental do exercício da liderança, desenvolver o Conteúdo da Liderança, de acordo com a Figura 2.2, significa (os itens abaixo são, em grande parte, desenvolvidos ao longo do texto):

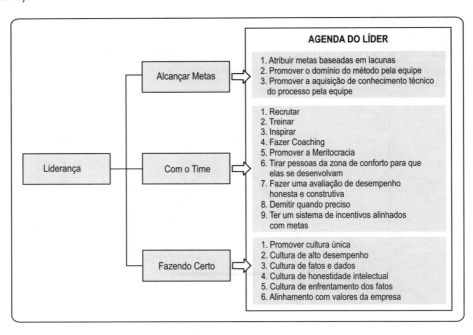

Figura 2.2: Modelo da Agenda do Líder (Conteúdo da Liderança) baseada na definição de liderança.

1. Criar um sistema que possa atribuir a todas as pessoas metas que sejam críveis e desafiadoras. Estas metas devem ser calculadas a partir de lacunas previamente identificadas (ver item 4.5).

2. Promover o Domínio do Método pela equipe com crescimento constante nas técnicas e recursos de análise (ver item 3.2 e capítulos 6 e 9) bem como num perfeito Gerenciamento da Rotina (ver capítulo 9).

3. Promover a aquisição de Conhecimento Técnico pela equipe (ver itens 2.2, 10.1 e 10.2).

4. Garantir o estabelecimento e melhoria contínua de um Sistema de Recrutamento e Seleção (padronizar o processo). Participar do Recrutamento e Seleção de sua equipe. Selecionar, entre os recrutados, Pessoas Excepcionais e garantir um crescimento mais rápido para estes como permitido por seu potencial mental, como definido por Maslow[4] (veja Capítulo 10) (algumas poucas pessoas excepcionais fazem a grande diferença em uma organização) (ver item 10.2).

5. Participar das várias formas de Treinamento de sua equipe exercendo a função de professor em alguns casos. Estabelecer e melhorar continuamente um Treinamento Especial para pessoas excepcionais. Reconhecer que entre as pessoas excepcionais existem pouquíssimas super-excepcionais. Estas pessoas são Imperdíveis e podem mudar a história de uma organização. Entender o Processo de Aprendizado Humano (veja Capítulo 10) e que o aprendizado de uma empresa é a somatório do aprendizado das pessoas. Entender o conceito de Potencial Mental Humano como formulado por Maslow[4] (veja Capítulo 10) e a necessidade de que as pessoas tenham condições de aprender continuamente. Este aprendizado deve ser realizado, preferencialmente, por meio do método de solução de problemas, com metas bem estabelecidas.

6. Inspirar as pessoas. Nós não trabalhamos somente pelo dinheiro que recebemos. O ser humano gosta de realizar um sonho. Sonhe grande, promova o sonho e inspire as pessoas (ver item 10.2). Sonhar grande dá o mesmo trabalho que sonhar pequeno.

7. Fazer *Coaching*. Supervisionar a maneira de trabalhar de sua equipe e aconselhar, fazendo ajustes de procedimento. O *coaching* é um treinamento no trabalho.

8. Promover a meritocracia. Garantir o estabelecimento e melhoria contínua de um Sistema de Avaliação do Desempenho (padronizar o processo). Promover uma avaliação do desempenho de seu time de forma honesta e construtiva, dando *feedback* contínuo (pelo menos uma vez por ano). Demitir quando necessário. Afastar de 5 a 10% por ano daqueles mais mal avaliados do time, abrindo espaço para novos valores e dando a oportunidade para que os demitidos possam encontrar tarefas que amem fazer e nas quais possam ser mais felizes e valorizados.

9. Alinhar os interesses das pessoas com os da organização por meio de um Sistema de Incentivos.

10. Cuidar da Cultura predominante na organização, trabalhando no sentido de fixar valores que garantirão o seu futuro. Estes valores devem estar incluídos nos quesitos da avaliação do desempenho.

11. Promover uma cultura de alto desempenho, "esticando" as metas e atribuindo valor aos que as superam.

12. Promover a cultura de tomar decisões com base em fatos e dados. Incentive a prática da análise e da síntese como elemento principal do planejamento e fundamental no processo de aprendizado. Exija a apresentação das análises em suas reuniões. Valorize a honestidade intelectual. Valorize a busca da verdade contida nos fatos e dados (ver capítulos 5 e 6).

13. Promover uma cultura de "enfrentamento dos fatos" que valoriza a verdade e não tem medo de ver os fatos como são. É a cultura onde se espera que os gerentes comuniquem, para o time e para cima, não somente os bons resultados mas também o que não está indo bem e precisa ser encarado como é, de tal modo que possa ser consertado. Uma cultura onde se valoriza a busca de fatos e dados para analisar eventos e não somente opinião e intuição.

Esta Agenda do Líder é fácil de listar mas nem sempre de simples implementação. Um aspecto importante é que estas coisas levam tempo para serem conseguidas e é por isto que penso que a liderança deve ser "cultivada".

> *Certa vez conheci um Diretor de Vendas excepcional. Ele trabalhava em uma empresa brasileira e era verdadeiro campeão de vendas, sendo reconhecido como bom líder, bem quisto por sua equipe e respeitado na empresa. Esta pessoa recebeu convite de um concorrente e se transferiu para lá, onde esperava conseguir os mesmos resultados que conseguia anteriormente. No entanto, isto não aconteceu e após um ano saiu da nova empresa, tendo fracassado em sua missão. Ignorava um conceito básico: a liderança é construída ao longo dos anos, estabelecendo processos confiáveis e pessoas excepcionais, bem treinadas e felizes com seu trabalho. Ao chegar à nova empresa, ele não encontrou equipe igual à anterior e um ano não seria suficiente para formar uma nova. Fracassou. Não havia na nova empresa o mesmo Conteúdo da Liderança que havia na empresa anterior.*

O líder é o único agente de mudanças na organização. Não há outra opção. As áreas de suporte ajudam na criação e divulgação de novos padrões, a consultoria também auxilia neste processo, além de criar as sistemáticas de verificação que permitem ao líder atuar. No entanto, a implantação e a mudança são indelegáveis. E esta mudança vem por meio da capacitação dos liderados, papel essencial do líder. Quem frequenta ou convive com várias empresas, percebe claramente a dificuldade de execução que existe em algumas. As empresas com lideranças fracas são geralmente muito lentas e acabam por perder a luta pela competição no mercado.

Um aspecto que considero fundamental no desenvolvimento do Conteúdo da Liderança e para o qual quero deixar uma consideração à parte é a questão da Cultura Interna. A avaliação do desempenho do tipo 360 graus leva em conta o alcance das metas num eixo e os fatores culturais em outro. Estes fatores culturais desejados devem ser continuamente discutidos e valorizados.

Um dos aspectos culturais que mais me encantam é o "Espírito de Excelência". Tenho encontrado pessoas de diferentes origens e posições culturais com este espírito que considero fundamental para se construir algo extraordinário. Resumiria este aspecto cultural da seguinte maneira: o Espírito de Excelência é ter a atitude, em tudo que faz, de querer fazer o melhor do mundo (pode-se até não conseguir mas vale tentar).

> *Lembro-me de um fato ocorrido há muitos anos. O Chefe de um departamento havia solicitado a um engenheiro fazer um relatório sobre determinado assunto. Veio uma coisa sucinta e de pouco conteúdo. O Chefe leu, não gostou e devolveu, pedindo trabalho mais completo, citando inclusive partes faltantes. O engenheiro fez ainda de forma sucinta as partes faltantes e entregou o relatório. O Chefe leu de novo e não gostou. Devolveu, pedindo mais conteúdo e dando exemplos. O Engenheiro fez exatamente o que o chefe pediu e devolveu com a seguinte nota: "Esta é minha forma final. Fiz o máximo que pude".*

Nunca me esqueci deste fato. Existem muitas pessoas que não gostam do que fazem e a sua atitude é "se livrar da tarefa o mais rapidamente possível". As chefias de tais pessoas deveriam fazer um favor: dar a elas a chance de encontrar algo que amem fazer, colocando-as à disposição de outro departamento ou então, simplesmente, mandando-as embora. Nunca vi, em minha vida, uma pessoa de sucesso que não amasse o que faz. Amar o que se faz é uma necessidade suprema do ser humano, de acordo com Maslow[4]. No entanto, existem certas dificuldades em empresas brasileiras de selecionar equipes de pessoas que amam o que fazem. Isto ocorre, talvez, devido a um aspecto cultural do brasileiro de "amizade e camaradagem" ou, talvez, a uma agenda própria de não fazer inimizades que poderão ser necessárias no futuro, ou até, talvez, de não eliminar uma pessoa que não tem bom desempenho mas que lhe dá apoio incondicional. Tudo isto é deletério para a pessoa que está sendo mantida numa posição que prejudicará seu futuro profissional, para o próprio líder, que não conseguirá formar o seu "Conteúdo da liderança", e para a empresa que terá seus resultados atuais e futuros prejudicados. Estes aspectos culturais devem ser questionados num projeto de excelência, de meritocracia e de devoção ao desenvolvimento do ser humano e de suas organizações.

Depoimento de um dos revisores:

> *Onde o conceito de "Espírito de Excelência" é colocado, eu entendo isto como uma atitude de um "dono do negócio", pois na minha visão é este comportamento que move as pessoas a se indignarem com o que está errado, mudarem a rota e agirem com mais velocidade.*
>
> *A questão de a cultura interna influenciar o líder, e vice-versa, pode ser na minha opinião o motivo pelo qual o "Diretor de Vendas" no exemplo citado tenha falhado. Ou seja, um ambiente onde você fica "falando sozinho" deve ter sido o que ele encontrou. Como você mesmo sabe, a AmBev faz questão de reafirmar isto a toda hora para seus funcionários, por palavras ou por fatos concretos (remuneração, ações, etc.), a importância das pessoas agirem sob uma norma de conduta (sonhar grande, foco no resulta-*

do, ser dono do negócio, gastar sola do sapato, etc.).

Tenho vivido em minha empresa esta dificuldade de criar uma "cultura de excelência" ou o "sentimento de dono", pois a cultura interna é muito poderosa. E, como se sabe, leva muito tempo, disciplina, consequência (prêmios ou punições) nos resultados e uns "grandes donos" para garantir uma aderência a estes valores em toda a organização e finalmente se estabelecer uma cultura interna forte.

Entendo que o líder deveria ser um guardião do método, dos valores, da cultura da empresa e, por consequência, do capital humano. Capital que vem a ser funcionários excepcionais de alto desempenho. Ou seja, um bom líder é aquele que possui pessoas de alto desempenho (pessoas que usam o método de forma disciplinada e têm grande aderência aos valores da Companhia).

A experiência da AmBev no Brasil mostrou que são necessários de 5 a 7 anos para que se tenha um bom sistema de recursos humanos funcionando satisfatoriamente e com tempo para que os primeiros valores bem recrutados e treinados tenham chegado a um nível gerencial elevado. Este é o tempo que é necessário para formar um bom "Conteúdo de Liderança". Depois que o conteúdo da liderança chega a um estágio bom (após estes 5 a 7 anos) a presença de um líder carismático perde a sua importância e a empresa passa a ter uma liderança institucionalizada, como sugerido por Max Weber[6]. Este deveria ser o sonho de todos nós e um presente a nossos jovens.

A respeito desta demora inicial em obter uma cultura própria para alcançar os resultados que desejamos, recebi o seguinte depoimento de um dos revisores:

Eu trabalhava nas Lojas Americanas, e buscava capturar, para o varejo, as técnicas desenvolvidas no ramo industrial. No Brasil não existiam experiências no setor de serviços, e a resistência dentro da empresa era imensa. Encontramos, na biografia de Sam Walton (fundador do Wal-Mart), elementos que nos permitiram fazer associações com o MÉTODO e, desta forma, "empacotar" as técnicas para uma melhor compreensão das pessoas do varejo.

Naqueles anos buscamos intensificar a educação das pessoas. No desenvolvimento de liderança valia tudo: filmes, palestras, livros e manuais de franquias. Eu, porém, nunca fiquei satisfeito com o nosso processo de evolução. Certa ocasião, o professor Falconi me apresentou a um consultor japonês, com 80 anos de idade, com quem tive o seguinte diálogo:

Eu: Incomodo-me que o MÉTODO não traga resultados de curto prazo e nós precisamos de resultados transformacionais.

Consultor: A qualidade total leva 5 anos para ser absorvida por uma organização.

Eu: Não podemos esperar tanto.

Consultor: A qualidade total leva 5 anos para ser absorvida por uma organização.

Eu: Não podemos esperar tanto.

Consultor: A qualidade total leva 5 anos para ser absorvida por uma organização.

Eu: Mas deve haver uma maneira mais rápida.

Consultor (perdendo a paciência nipônica): SÃO 5 ANOS PORQUE AS PESSOAS LEVAM 5 ANOS PARA MUDAR!!!

Ao longo da minha experiência vi exatamente isso: o processo de aprendizagem é lento, existem ilhas de excelência e ilhas de resistência dentro das empresas, e pessoas que jamais a aceitarão. No entanto, a maioria adere e torna-se mais feliz no trabalho. A liderança do topo da organização, do CEO, é fundamental no processo.

Passados 5 anos, o que era tão difícil se tornou um padrão de comportamento nas Lojas Americanas. Em outras empresas ocorreu o mesmo. Não interessa o ramo, a indústria ou setor: a aplicação é sempre possível. Trata-se, entretanto, de mudança de comportamento e padrão mental que, bem conduzida, vira cultura.

O trabalho com Recursos Humanos e com o desenvolvimento do "Conteúdo da Liderança" é a essência do papel do líder, a sua verdadeira Agenda.

2.2 Acumulando Conhecimento Técnico

Faz-se uma certa confusão entre conhecimento técnico e conhecimento de método. Conhecimento técnico é o conhecimento relacionado com o processo no qual o indivíduo trabalha. Se alguém trabalha em marketing, deve ter conhecimentos profundos que são específicos desta área. Assim, também existem conhecimentos que são específicos da área financeira, outros que são específicos da área de recursos humanos, outros que são específicos do processo de produção, tais como manutenção mecânica, equilíbrio químico, etc. Toda organização deve zelar para que esteja atualizada em conhecimento técnico em nível global.

Certa feita o Diretor Geral de um Cliente me pediu para ir a uma de suas fábricas, recentemente construída, para verificar por que não se conseguia produzir no nível projetado. Após alguns dias cheguei à conclusão que as pessoas tinham bom conhecimento de método mas não tinham conhecimento técnico dos fatores de produção. Foi então criado um programa específico, no qual foram trazidos vários dos melhores técnicos estrangeiros aposentados para que passassem seu conhecimento técnico de produção aos mais jovens. Foi um verdadeiro sucesso e a empresa, após

*alguns anos, possuía especialistas em várias áreas com conhecimento téc-
nico em nível mundial.*

A busca do melhor conhecimento técnico em todo mundo deve ser uma prática contínua para que se possa ter a garantia de que estamos em nível mundial o tempo todo, pois é neste nível que se compete nos dias de hoje. O conhecimento técnico pode ser adquirido. É boa prática trazer, como consultores temporários, os melhores técnicos do mundo (pessoas que dominam o conhecimento teórico e prático) para trabalharem junto com o pessoal da empresa na solução de seus problemas.

Vale ressaltar que a absorção do conhecimento técnico é feita de maneira mais eficaz por meio da prática do método gerencial. Um dos pontos centrais da prática do método é a agregação contínua de conhecimento técnico por meio da análise (veremos mais tarde neste texto o conteúdo de uma boa análise). Para dar às pessoas uma medida do valor do conhecimento, costumo perguntar assim: *"Fulano, por que você não tem um custo 10% inferior ao atual?"* Depois de alguns segundos de choque eu mesmo respondo: *"Porque ninguém aqui sabe como fazer isto"*. A questão é saber. É conhecimento!

2.3 Introdução ao Conceito de Método

Método é uma palavra que se originou do grego e é a soma das palavras gregas *Meta* e *Hodós*. *Meta* significa "Resultado a ser atingido" e *Hodós* significa "Caminho". Portanto, o método pode ser entendido como o *"caminho para o resultado"* ou então como uma *"sequência de ações necessárias para se atingir certo resultado desejado"*. Ora, se gerenciar é perseguir resultados, não existe gerenciamento sem método. O método é então a essência do gerenciamento. Gestão é método.

O método de que tratamos neste texto é o Método Cartesiano proposto por René Descartes[3] no século 17. Descartes, conhecido como o pai da filosofia moderna, dizia que, em sua época, *"as obras de filosofia eram uma coletânea de opiniões"* e que ele havia *"saído do conforto de seu quarto aquecido para viajar pela fria Europa buscando a verdade na realidade da vida das pessoas"* [3]. Esta busca pela verdade, contida nas informações organizacionais de hoje, é que fornece a orientação necessária para a boa tomada de decisão. Tomada de decisões com base em opiniões torna-se muito cara e, algumas vezes, desastrosa.

A essência do trabalho numa organização é atingir resultados e portanto, o domínio do método, por todas as pessoas, é fundamental. Isto é válido para todas as pessoas de uma empresa, desde seus diretores até os operadores, que devem ser envolvidos no método de solução de problemas para atingir os resultados necessários. Qualquer que seja o nível educacional do funcionário de uma organização, o método que usa é o mesmo. Isto viabiliza criar uma linguagem gerencial comum e conduz a uma participação natural de todas as pessoas no gerenciamento da empresa. O método provê uma maneira organizada e racional para esta participação. Passa então a ser do interesse de toda a organização elevar continuamente o nível de conhecimento de todas as pessoas de tal forma que possa atingir resultados cada vez melhores.

É óbvio que os operadores irão praticar um nível de análise e síntese bem mais simples que um técnico analista que deve, no processo de análise de informações, ser capaz de utilizar os softwares modernos, inclusive os de estatística, para extrair da informação disforme o conhecimento para atingir resultados excepcionais. Os diretores devem ter conhecimento do método e pelo menos dos aspectos básicos do processo de análise de informações. Hoje, no Brasil, certas empresas já possuem diretores formados em nível "Black Belt", o que significa que têm conhecimento suficiente para analisar informações com o pleno uso da estatística. No futuro, todos os profissionais deverão ser preparados neste nível.

Clark[2] descreve uma abordagem de análise praticada pela CIA - Central Intelligence Agency do Governo dos EUA, muito semelhante ao que fazemos nas empresas e governos. A palavra "inteligência" é utilizada não só pelos órgãos de segurança governamentais mas também pelas áreas de marketing das empresas como substituto de coleta e análise de informações. Todo o conteúdo deste livro é útil para todas as pessoas que lidam com a análise e síntese de informações na busca da verdade ali contida. É, portanto, um livro sobre "inteligência" no significado dado por Clark[2]. O método adiciona inteligência à atividade gerencial.

No capítulo seguinte o método é descrito com mais detalhes.

2.4 A Escolha de Gerentes e Diretores

Tenho visto, em várias organizações (empresas e governos), Gerentes e Diretores serem escolhidos porque são bons técnicos. Nada impede que sejam bons técnicos. No entanto, o principal fator que deve nortear a escolha destes profissionais é a sua capacidade de liderança, sua dedicação na construção do Conteúdo da Liderança e seus valores comprovados na convivência do dia a dia. Avaliando tudo que vi em minha vida, estes são os principais atributos de um líder devotado à construção da empresa e a tornar dispensável a sua própria condição de liderança fazendo de seu cargo algo institucional. Este é o patamar da verdadeira excelência.

O processo de recrutamento e seleção geralmente aumenta a probabilidade de que a empresa recrute e selecione os melhores valores para as suas necessidades. No entanto, este processo não é perfeito e a verdadeira seleção é feita ao longo dos anos pela observação de cada um em seu trabalho. Esta observação é registrada pelo processo de avaliação do desempenho, que analisa a capacidade de cada pessoa de atingir as suas metas e o alinhamento de cada um aos valores estabelecidos pela empresa. À medida que a pessoa sobe na hierarquia da empresa, vai sendo avaliada e selecionada até que a indicação dos gerentes e diretores da empresa possa ser feita com bastante segurança.

Esta crença leva a duas conclusões:

(a) Nada impede que se recrutem pessoas de outras empresas para ocupar cargos com necessidades específicas; no entanto, a certeza de acerto só é obtida promovendo valores internos.

(b) Os seres humanos têm velocidades de aprendizado diferentes (ver item 10.2) e portanto haverá pessoas que devem ter um treinamento especial, mais concentrado, e ser testadas em novas posições mais cedo.

A conclusão final é que uma empresa deve montar uma "Fábrica de Líderes" para que possa crescer segura de que terá os valores de que necessita a cada expansão.

> Na formação da InBev, e agora AB-InBev, 100 executivos da AmBev optaram por serem transferidos para a InBev e isto em nada atrapalhou o desempenho da AmBev. Isto aconteceu porque desde 1990 já se trabalhava na montagem da Fábrica de Líderes e havia mais de 100 substitutos disponíveis para promoção, no mesmo padrão daqueles que saíram. Só uma competente fábrica de líderes permite tornar a liderança uma posição institucional e não pessoal (dependente do carisma do líder).

Para os bons técnicos deve ser provida uma carreira de prestígio e bem remunerada, mas não necessariamente de chefia.

3 Método e Sistema de Gestão

*Os fatores tradicionais de produção - terra, mão-de-obra e até dinheiro, pela sua mobilidade - não mais garantem vantagem competitiva a uma nação em particular. Ao invés disto, o **gerenciamento** tornou-se o fator decisivo de produção[27].*

Peter F. Drucker

3.1 Gerenciar é Resolver Problemas

A melhor definição de problema gerencial que conheço é: "*Problema é um resultado indesejável*". Portanto, todos que realmente desejam melhorar sua empresa devem estar cheios de problemas.

Há algum tempo, quando chegava a uma empresa para dar consultoria em gestão, perguntava a um gerente: "*Qual seu principal problema?*" Havia muitos que respondiam: "*Aqui não temos problemas!*" Ao que eu retrucava: "*Então não há nada para você fazer. Se eu fosse você, iria para a praia!*" Ríamos juntos... Esta época já passou e o Brasil avançou muito, mas ainda existem resistências em reconhecer problemas. Pouquíssimos são os gerentes que praticam a busca anual de seus problemas via *benchmarking*, pesquisa de mercado, análise de perdas e ineficiências, etc. Existem várias maneiras de localizar oportunidades de ganhos, também chamadas de lacunas, um conceito simples, porém fundamental, que iremos detalhar mais à frente.

Existem duas responsabilidades básicas de um Gerente:

(a) Garantir que os processos que apoiam suas operações sejam estáveis e confiáveis. Consistência é a palavra de ordem. Isto é válido para um banco, uma fábrica, uma pizzaria ou um hospital.

(b) Levantar, Priorizar e Resolver os problemas de sua área de responsabilidade.

Existem dois tipos de problemas: o "Bom Problema", que é provocado pelo Gerente quando ele levanta anualmente as lacunas de sua área de responsabilidade e visa a melhorar o desempenho atual da organização, e o "Problema Ruim", que corresponde a desvios de consistência das operações, como é mostrado na Figura 3.1 (produto que saiu das especificações, uma máquina que quebrou, etc.). O problema ruim tem que ser resolvido imediatamente e é ruim porque não avisa a hora que vem e nem foi planejado. A gerência deve zelar para que os problemas ruins ocorram em número cada vez menor (é impossível eliminá-los, mas dá para reduzi-los substancialmente).

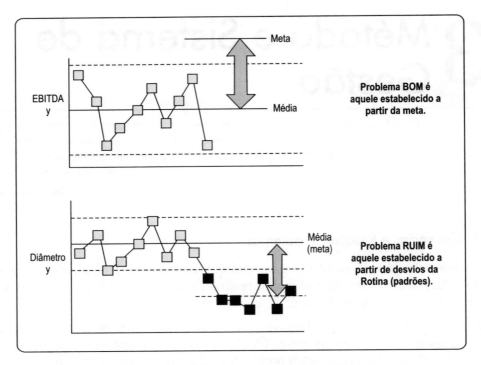

Figura 3.1: Modelo dos dois tipos de problemas.

3.2 Método Gerencial

O método gerencial (método de solução de problemas) é único, mas existem várias denominações utilizadas por consultorias que querem fazer crer que seu método é melhor. São denominações comerciais. Todas as denominações são boas pois o método é único. Adoto a denominação PDCA (Plan - Do - Check - Act) oriunda dos japoneses e já muito difundida no Brasil e no mundo. O método PDCA é a alma do Sistema Toyota de Produção[21]. Este método é representado pelo modelo da Figura 3.2.

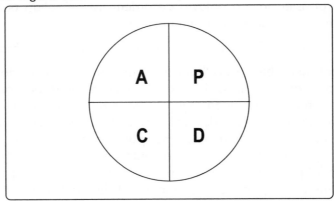

Figura 3.2: Modelo do Método PDCA.

Geralmente as pessoas olham para esta figura e pensam: *"Este método eu conheço!"* Costumo brincar dizendo: *"Olha, vocês sabem é 'desenhar' esta figura mas utilizar no dia a dia de uma organização por meio de todas as pessoas é uma jornada de aprendizado de muitos anos!"*

O método PDCA parece muito simples à primeira vista e, de fato, é simples. No entanto, quem utiliza este método com aplicação percebe ao longo dos anos que, quanto mais se aprofunda em seu uso por toda a empresa, mais se percebe a sua complexidade. Muitas vezes concluo que, após décadas, ainda percebo que estou aprendendo o PDCA. Como será visto adiante, este método permite:

(a) A participação de todas as pessoas da empresa em seu efetivo gerenciamento (melhoria e estabilização de resultados).

(b) A uniformização da linguagem e a melhoria da comunicação.

(c) O entendimento do papel de cada um no esforço empresarial.

(d) O aprendizado contínuo.

(e) A utilização das várias áreas da ciência para a obtenção de resultados.

(f) A melhoria da absorção das melhores práticas empresariais.

Este método viabiliza o Gerenciamento Científico da organização. Veremos que o PDCA permite criar, aprender, copiar e difundir conhecimento e que o aprendizado é a alma de sua utilização. O PDCA transforma uma organização numa escola pois a busca por resultados é paralela à busca do conhecimento.

Existem dois tipos de metas que se procura atingir em qualquer organização: resultados que desejamos melhorar e resultados que desejamos manter. Nos dois casos utilizamos o método PDCA, como mostra a Figura 3.3. Na verdade, qualquer resultado que se melhora deve, imediatamente, ser estabilizado nas operações do dia a dia por meio da padronização e do treinamento no trabalho. Então, o método PDCA, como colocado na Figura 3.2, não é utilizável por si só. Sempre que queremos gerenciar (resolver problemas), devemos utilizar o PDCA para melhorar em conjunto com o PDCA para manter. Chamamos o PDCA para manter de SDCA porque na operação o plano (P) é o padrão (S de *Standardize*). Recomendo refletir muito sobre a Figura 3.3 e transformá-la em seu modelo mental de gerenciamento. Esta é, talvez, a figura mais importante deste livro. Em meu livro do Gerenciamento da Rotina do Trabalho do Dia a Dia[5] detalho o uso deste modelo, ensinando a trabalhar com ele no gerenciamento da operação de uma organização.

Tenho visto cursos de *Green Belts* ou *Black Belts* (designações comerciais de cursos de solução de problemas) serem dados somente com a utilização do PDCA e creio ser um equívoco. Não existe solução de problemas sem que o novo resultado seja adotado na operação via SDCA. O modelo a ser adotado em qualquer solução de problemas deve ser o da Figura 3.3.

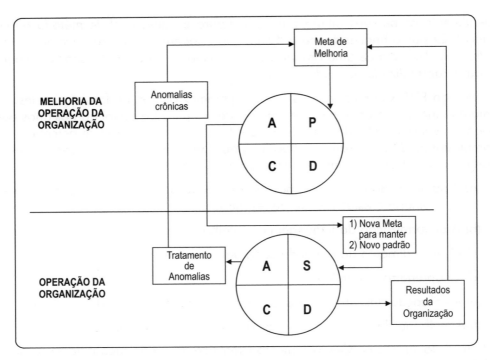

Figura 3.3: Modelo do Método PDCA utilizado para operar de forma consistente e melhorar a operação de uma organização.

3.3 O Pensamento Sistêmico

Sistema é um conceito presente em cada momento de nossas vidas e sua compreensão é cada vez mais importante para o entendimento das relações organizacionais. Tudo neste mundo é ou faz parte de um sistema. O próprio ser humano é um sistema que possui vários subsistemas como o respiratório, digestivo, circulatório, nervoso, etc. Nossas empresas são sistemas, bem como tudo que as circunda.

Bertalanffy[8] define *sistema como um conjunto de fatores interligados com função(ões) específica(s)*. O conceito de sistema se diferencia do de processo na definição de Shingo[9] em que este último é considerado como "*uma sequência de valores agregados visando à produção de um produto (mercadoria ou serviço)*". Esta diferenciação é importante porque estes dois conceitos são diferentes. O conceito de sistema é mais amplo e preciso e é o que Diretores e Gerentes enfrentam em seu trabalho. No entanto, para fins de organização e análise do trabalho, o conceito de processo é conveniente por sua racionalidade e simplicidade.

Todo sistema tem pelo menos uma função e cada função gera pelo menos um indicador. Desta maneira, poderíamos definir Problema como uma "disfunção do sistema", ou seja, por algum motivo (causa) o sistema não está cumprindo com sua função. Por outro lado, podemos também imaginar que por trás de cada problema existe um sistema ao qual denominamos de "Alvo".

Os sistemas podem ser *abertos* ou *fechados*. Um sistema aberto é aquele que troca energia, materiais e informação com outros. Um sistema fechado é totalmente vedado, nada trocando com o exterior. Na verdade não existe um sistema que seja totalmente fechado e existem diferentes graus de abertura de um sistema desde, por exemplo, um relógio (que é um sistema cuja função é mostrar a hora), que é razoavelmente fechado, até uma empresa que é notoriamente um sistema aberto. No entanto, é bom lembrar, existem empresas com diferentes graus de abertura. Uma empresa que não está aberta a trocar informações com outros sistemas exteriores não cresce em conhecimento e portanto poderá atrofiar e desaparecer. Do ponto de vista do pensamento sistêmico, quanto mais aberta for uma organização maior a sua chance de sobreviver e prosperar. O fato de um sistema ser mais aberto ou fechado também enseja certas estratégias. Por exemplo: quando você atua gerencialmente em uma linha de produção (que é um sistema mais fechado) as reações são mais previsíveis, pois existem poucas interfaces e as variáveis de seu sistema são mais controladas. No entanto, em vendas (que é um sistema aberto) as reações são mais imprevisíveis, pois existem mais variáveis não controláveis, como, por exemplo, a reação do concorrente, do revendedor e do cliente. Além disto, as ações das interfaces afetam rapidamente o desempenho. Portanto, num sistema aberto, a rapidez das iniciativas é fundamental (quando as outras partes começam a reagir, você já vem com nova ação!). Quanto mais abertos forem os sistemas mais importante será a utilização da tecnologia da informação.

Outro aspecto importante dos sistemas é que eles sempre têm sua *estrutura*, seus *processos* e suas *funções*. Quando se fala em Análise de Sistemas, que é fundamental em gerenciamento, estamos falando de Análise Estrutural, Análise do Fluxo dos Processos (não confundir com Análise de Processos, como veremos adiante) e de Análise Funcional. Estas análises serão explicadas mais adiante com mais detalhe.

Finalmente, existe uma *hierarquia de sistemas* se imaginarmos que temos sistemas ao nível atômico, das células, dos órgãos, dos organismos (animais), dos grupos, das organizações, da sociedade, do Globo, etc., como colocado por Haines[24]. Também dentro das empresas existe uma hierarquia de sistemas bem como existem sistemas que se sobrepõem. Veremos mais adiante a questão do Gerenciamento Funcional e Departamental. Departamentos são sistemas com função própria e portanto áreas de autoridade que são próprias. O Gerenciamento Funcional trata das funções do sistema empresarial e se sobrepõe aos sistemas da gestão departamental com áreas de autoridade que são de outros sistemas! Empresas que não entendem estes relacionamentos de sistemas acabam por ter dificuldades em gerir questões de qualidade, custo, entrega, etc., todas funções empresariais finais relacionadas aos *stakeholders*. Hino[15] menciona que a Toyota perdeu muitos anos no desenvolvimento de seu Gerenciamento Funcional exatamente porque houve dificuldades de entendimento dos conceitos de função e de sistemas. Finalmente conseguiu e hoje isto é considerado uma de suas fortalezas.

Tudo neste mundo é um sistema. Os sistemas interagem entre si em maior ou menor grau e tudo está interligado. Não há como gerenciar uma empresa desconhecendo estas relações. Este é o pensamento sistêmico.

3.4 Sistema de Gestão

Um executivo americano, Vice Presidente de Operações de uma empresa nos EUA, nos desafiou a enfrentar uma das usinas de sua empresa que nunca havia apresentado um resultado positivo. Fui lá com ele e assistimos a uma apresentação pelos executivos de suas metas e o que estavam fazendo para atingi-las. Estavam presentes na sala todos os executivos e técnicos da usina. A primeira apresentação foi do Diretor da usina e, depois, de três de suas chefias imediatas. Ao final da quarta apresentação perguntei: "está tudo bem, mas não entendo como podem todos estar batendo suas metas, enquanto o Diretor da usina está com todas as suas no vermelho".

Este caso denota ausência de um Sistema de Gestão, ou seja, as metas do Diretor deveriam estar ligadas às metas de suas chefias num relacionamento de causa-efeito, de tal maneira que, para que as metas do Diretor fossem alcançadas, seria necessário que as metas de suas chefias também o fossem (as metas são estabelecidas sobre as funções de sistemas e existe uma hierarquia de sistemas que interagem!). Por outro lado, o esforço para alcançar as metas das chefias deveria resultar em modificações dos procedimentos operacionais padrão e, portanto, no treinamento do trabalho. É isto que significa as palavras "fatores interligados" na definição de sistema proposta por Bertalanffy[8]. Tudo que for feito em qualquer nível da organização no sentido de melhorá-la deve resultar em modificações em seus procedimentos padrões operacionais. Esta é a essência de um processo de mudanças organizacionais.

A Figura 3.4 mostra de forma resumida como ficaria a Figura 3.3 se levássemos em conta que as melhorias são de longo prazo (estratégicas) e anuais e que as anuais podem ainda ser projetos ou metas de melhoria. Esta figura é a base para a construção do Sistema de Gestão, como mostrado na Figura 3.5.

Então, um Sistema de Gestão é um conjunto de ações interligadas de tal maneira que os resultados da empresa sejam atingidos. A Figura 3.5 mostra um modelo simplificado de um Sistema de Gestão.

Para que algo seja chamado de "Sistema de Gestão" é necessário que sejam partes interligadas com a função de produzir resultados. Estas partes interligadas, por sua vez, devem, cada uma delas, seguir o método, pois, pela própria definição de método, não pode haver "Sistema de Gestão" que não seja baseado em puro método!

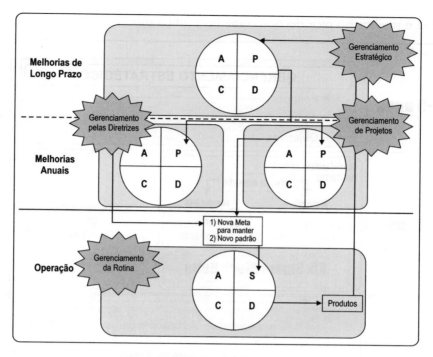

Figura 3.4: Modelo do método PDCA utilizado para operar uma organização e para me- lhorar aquela operação (incluindo melhorias de longo prazo e anuais).

Todos os subsistemas indicados nas Figuras 3.4 e 3.5, Gerenciamento Estratégico, Gerenciamento pelas Diretrizes, Gerenciamento de Projetos e Gerenciamento da Rotina têm como espinha dorsal o método.

O Sistema de Gestão tem a vantagem adicional de ser um mapa que mostra onde o trabalho de cada um se insere. Uma organização que consegue, ao longo dos anos, envolver todos na prática do Sistema de Gestão, terá formado um time imba- tível de pessoas onde cada um é competente naquilo que faz. O método, do qual se origina o Sistema de Gestão, é que propicia esta participação e envolvimento de forma organizada e é isto que torna a organização cada vez mais forte. Está claro que tudo isto implica na participação de 100% das pessoas na gestão da empresa pois todos terão suas metas. Quem não tem meta não gerencia.

Este Sistema de Gestão deve ser melhorado continuamente pela introdução de novos recursos técnicos. As empresas de consultoria estão sempre apresentando novos recursos para serem utilizados no Sistema de Gestão. Toda empresa de con- sultoria ou mesmo consultor autônomo, pela própria necessidade de mostrar que sabe algo diferente, costuma dar nomes próprios a partes do Sistema de Gestão. Existe muito conhecimento bom com consultores, no entanto, é necessário que se saiba absorvê-los. As perguntas que se deve fazer são:

1. Onde se insere em meu Sistema de Gestão este conhecimento que a consul- toria está trazendo?

2. Ele é melhor ou pior do que a minha prática atual?

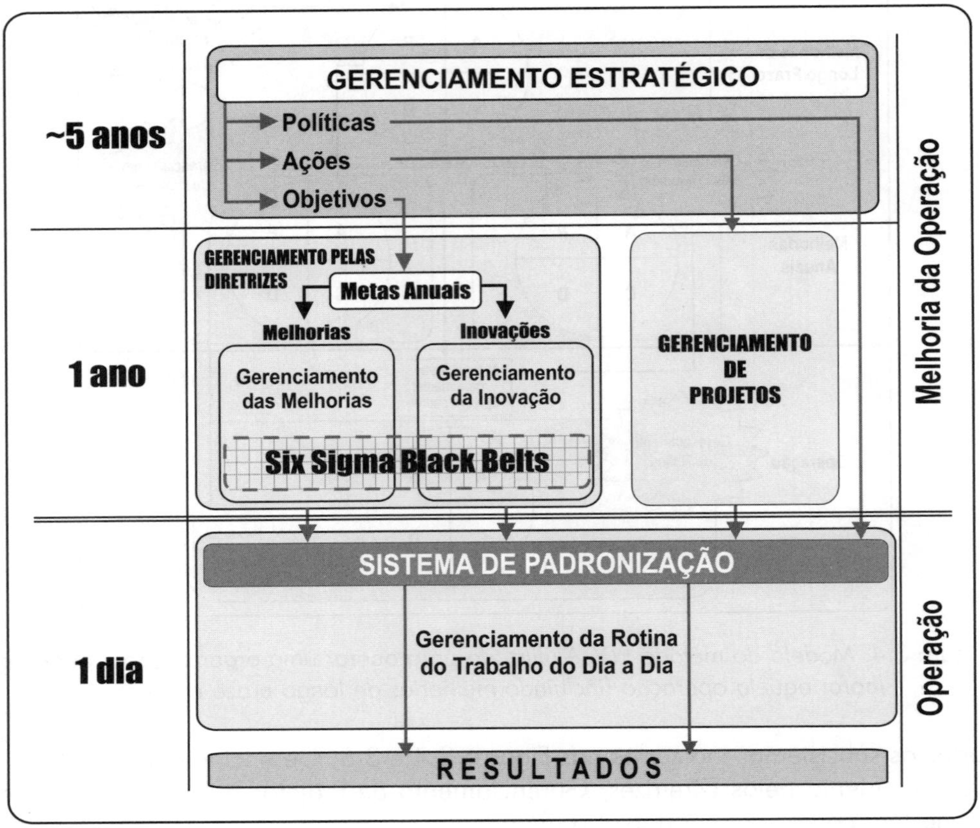

Figura 3.5: Modelo de Sistema de Gestão.

Se for melhor, compre. Não se iluda com siglas ou designações em inglês que fazem parecer algo superior. Julgue friamente. O que interessa ao gerente é absorver para sua empresa o máximo de conhecimento possível, desde que você seja um líder capaz de transformar isto em resultados!

3.5 Desenvolvendo o Sistema de Gestão

A Figura 3.5 mostra um modelo do Sistema de Gestão. Observe que todos os componentes do sistema são meios e que o único fim é produzir Resultados. Toda melhoria deve ser conduzida dos fins para os meios, ou seja, temos que, primeiro, estabelecer os resultados prioritários a serem melhorados e depois, em função disto, descobrir quais são os meios prioritários a serem alterados de tal forma a garantir aqueles resultados. Resulta deste trabalho anual o desenvolvimento do Sistema de Gestão, que é um projeto de longo prazo e depende do aprendizado das pessoas[30].

À medida que vamos perseguindo resultados cada vez mais desafiadores, teremos que adotar modelos de análise e recursos técnicos cada vez mais sofisticados e avançados tornando o Sistema de Gestão muito robusto. Este é um processo que não tem fim. Existem na Estatística, na Pesquisa Operacional, na Matemática, na Informática, etc., recursos técnicos ainda não utilizados nas organizações simplesmente porque as pessoas não sabem como fazê-lo nem a empresa tem o avanço e a disciplina necessários para que isto ocorra. O desenvolvimento de um Sistema de Gestão é um processo de aprendizado e como tal leva tempo para ocorrer. A vantagem é que, quando o concorrente acordar, ele terá que fazer o mesmo caminho que, também para ele, levará anos! O grande avanço das empresas automobilísticas orientais em relação às ocidentais é um exemplo desta "defasagem gerencial".

Lembrem-se, nada funciona de forma excepcional se não for realizado com a base de um Gerenciamento da Rotina do Trabalho do Dia a Dia perfeito. A grande dificuldade em alcançar a excelência é estabelecer a base de uma boa rotina.

Neste texto repito a todo momento a questão do "histórico de desenvolvimento gerencial". Cada empresa, seja pelo nível de conhecimento técnico e de método de seu pessoal, seja pelo nível da liderança, seja por seus aspectos culturais em particular, está num determinado estado de desenvolvimento de sua gestão. Não adianta querer cortar caminho, pois as pessoas necessitam de tempo para aprender (veja o conceito de Potencial Mental no item 10.2). Algumas vezes uma empresa quer utilizar uma solução adotada por outra e se dá mal exatamente por não estar ainda preparada para isto. O desenvolvimento gerencial é uma jornada de aprendizado institucional.

4 Desempenho da Organização

> *"Para fazer melhorias fundamentais no processo de produção, nós temos que distinguir fluxo de materiais ou informação de fluxo de trabalho e analisá-los separadamente. Muito embora o processo seja realizado por uma série de operações, é errado visualizá-lo por uma linha simples porque reforça a idéia enganosa de que, melhorando as operações individuais, será melhorada a eficiência global do fluxo do processo do qual elas são parte. Melhorias nas operações, feitas sem considerar o seu impacto no processo, poderão até reduzir a eficiência global."*
>
> **Shigeo Shingo**

O desempenho das organizações é melhorado a partir do foco em seus principais problemas, considerando três horizontes: Estratégico, Tático e Operacional (ver Figura 3.5). As metas definidas nestes três horizontes estabelecem o foco do gerenciamento. A atuação para melhoria destes resultados por sua vez deve abranger três níveis da organização: Organização, Processos e Operações. Estes conceitos são detalhados neste capítulo.

4.1 Níveis e Necessidades de Desempenho

Rummler[25] propõe a divisão da organização em três níveis de gerenciamento que são essencialmente diferentes e merecem atenção particular, como mostra a Figura 4.1. Eles são os níveis da *organização*, dos *processos* e das *operações*. Esta classificação está em linha com a defendida por Shingo[9] e adotada na Toyota.

(a) **Operação** é a sequência de trabalho conduzida por homens e máquinas para agregar determinado valor específico (meta da operação).

(b) **Processo** é uma sequência de valores agregados que resulta no produto final (interno ou externo).

(c) **Organização** é a estrutura de relacionamentos necessária para que a instituição possa cumprir as suas funções.

Por exemplo, sendo o "Processo" uma sequência de valores agregados (daí porque é utilizado o termo "Cadeia de Valor"), ele não incorpora o trabalho humano ou de máquinas. A sequência de trabalhos humanos ou de máquinas é denominada "Operação". A Operação produz o valor que é adicionado no Processo. Existem Operações que não agregam valor como, por exemplo, transporte, inspeção e estocagem, que devem ser continuamente eliminadas ou minimizadas.

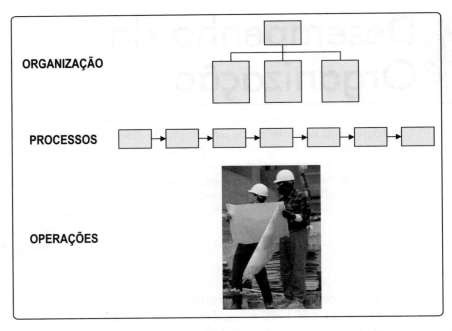

Figura 4.1: Os três níveis de desempenho de Rummler[25].

A Figura 4.2 mostra um modelo dos conceitos de Operação e Processo. Estes conceitos são fundamentais para a organização da produção de mercadorias ou serviços e são a base para o projeto e a padronização de processos e do trabalho (o "Padrão Técnico de Processo" se relaciona ao Processo e o "Procedimento Operacional Padrão" se relaciona às Operações)[31]. Estes conceitos de "Operação" e "Processo" foram estabelecidos por Shingo[9] e são a base para o denominado "Sistema Toyota de Produção".

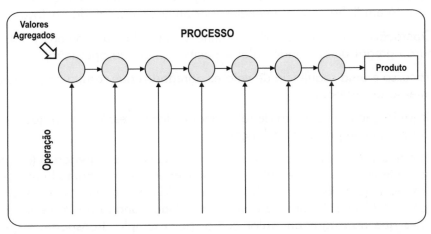

Figura 4.2: Modelo dos conceitos de "Operação" e "Processo".

Como mostra a Figura 4.3, para cada nível da organização temos três necessidades: as metas, o projeto e o gerenciamento. Neste texto tratamos das metas e do método (gerenciamento) para atingi-las. No entanto deve-se ter cuidado para que o projeto da organização, dos processos e do trabalho seja continuamente revisto, pois as demandas sobre a organização mudam constantemente em função de seu meio, e alguns processos e operações podem ser automatizados e outros podem se tornar desnecessários. Várias empresas já praticam hoje a Reestruturação Organizacional e de Processos como parte integrante de seu programa de melhorias contínuas. No INDG - Instituto de Desenvolvimento Gerencial temos trabalhado as organizações, processos e operações sempre no sentido de estabelecer as metas, o novo projeto e deixar o gerenciamento funcionando para cada caso (método).

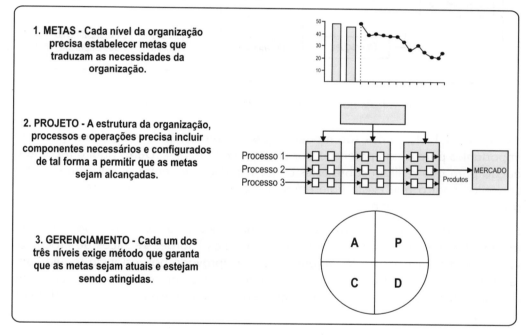

Figura 4.3: As três necessidades de desempenho de Rummler[25].

A conjugação do entendimento dos três níveis da organização e das três necessidades de desempenho gera as nove variáveis de desempenho, como mostrado na Figura 4.4.

Resumindo, temos que ter metas bem estabelecidas, projetos revistos frequentemente e gerenciamento metódico nos três níveis de desempenho.

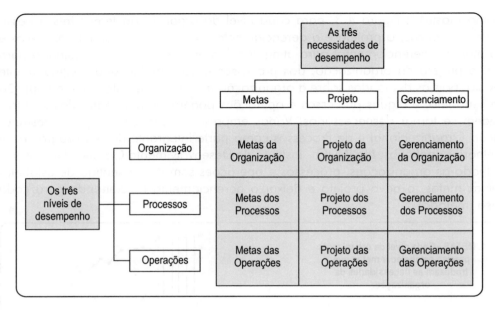

Figura 4.4: As nove variáveis de desempenho de Rummler[25].

As Figuras 4.1, 4.3 e 4.4 são modelos que procuram representar conceitos muito importantes para a compreensão por Diretores e Gerentes. Deixo aqui a recomendação para que reflitam sobre estes conceitos, discutam entre si, relacionem estes conceitos com o que existe hoje em sua organização, principalmente no tocante aos padrões operacionais.

É conveniente ressaltar que as metas das operações e dos processos devem constar dos Procedimentos Operacionais Padrão e dos Padrões Técnicos de Processo. Qualquer modificação nestes valores deve ser aprovada por instância regulamentada. Os Procedimentos Operacionais Padrão têm a ver com as operações e os Padrões Técnicos de Processo e Padrões Gerenciais descrevem e regulamentam os processos[31].

A identificação correta do problema em cada nível da organização é tão importante que, em projetos grandes, deveria gerar um documento descritivo ("Termo de Referência") e ser consenso de várias partes, pois, uma vez identificado o problema, tudo que vem depois em sua solução e que pode custar muito caro é função da maneira como o problema foi identificado. Alguns problemas são de identificação muito difícil e sutil, e analistas experientes, algumas vezes, gastam a metade de seu tempo de análise identificando corretamente o problema a ser resolvido. O sucesso da análise depende de uma correta identificação do problema.

Esta identificação correta do problema possibilitará conduzir adequadamente a solução, de acordo com seu nível de impacto na empresa. A atuação no nível organizacional influencia não somente a organização, mas tem efeito nos processos e operações. O mesmo vale para uma solução que passa pelo projeto dos processos onde as operações serão afetadas. As soluções focadas somente nas operações afetam somente estas e não os processos ou a organização, como previsto por Shingo[9].

4.2 A Meta é o Foco do Gerenciamento

A meta é uma das três necessidades de desempenho e é o foco do gerenciamento em qualquer nível, pois o método gerencial existe para que as metas sejam alcançadas. Os problemas (metas) estão sempre nos fins e nunca nos meios, sempre nas funções dos sistemas, organização, processos e operações. As metas sempre estarão:

(a) **Nível da Organização** - Nos indicadores das funções da empresa relativos à satisfação dos *stakeholders* e em seu desdobramento pela organização. Por exemplo: "Aumentar o EBITDA em 15% ao ano".

(b) **Nível do Processo** - Nas características dos produtos do processo (qualidade, custo e condições de entrega). Por exemplo: Processo de entrega - "Entregar pelo menos 95% das encomendas na qualidade, prazo, quantidade e local certos dentro de 18 meses".

(c) **Nível da Operação** - Nas características do valor agregado na operação (valores dos indicadores dos valores agregados ao longo do processo, que devem constar dos Padrões Técnicos de Processo ou dos Padrões Gerenciais e ser especificados como objetivo do trabalho nos Procedimentos Operacionais Padrão). Por exemplo: Processo de tratamento do aço líquido na panela; Procedimento de sopro de argônio - "Obter a homogeneização completa da corrida".

Poderá eventualmente haver coincidência de indicadores em nível da Organização e de Processos, caso o processo seja final, ou seja, resulte no cumprimento da função da organização.

Tanto as organizações públicas quanto as privadas são pródigas em problemas mal definidos e, portanto, em desperdício de recursos na direção gerencial errada sempre, óbvio, com as melhores intenções.

A questão da identificação correta do problema pode ser simples em alguns casos e muito "difícil" em outros. Talvez a palavra difícil não seja apropriada; pode ser sutil talvez. No entanto, a identificação correta do problema jogará recursos humanos, materiais e financeiros na direção certa. Afinal esta é a principal função de um Diretor que, como o próprio nome do cargo diz, é "aquele que dá a direção". A direção é dada pela identificação correta do problema!

> Na área pública ocorre o mesmo fato. Certa vez assisti na televisão à entrevista de um Ministro da Educação recém-empossado. Ele estava, na entrevista, "criando" vários "programas". Um deles era o uniforme escolar para todas as crianças de escolas públicas. Fiquei pensando: "qual será o problema que este Ministro está atacando?"

Você sai da reunião da diretoria onde o diretor de vendas mostrou um aumento da demanda e a incapacidade da empresa de atendê-la, ameaçando uma perda de *market share*. Qual o problema real da empresa neste momento? O problema atual é "falta de capacidade de produção"? Se você identifica o problema desta maneira, a linha de sua solução fica determinada, ou seja, sua empresa acabará por instalar uma nova linha de produção. Geralmente, quando a palavra "falta" é utilizada para descrever um problema, esta definição está errada.

Por outro lado, se o problema é identificado como "incapacidade de atendimento da demanda de vendas" muitas causas poderão lhe ocorrer: excesso de produtos fora de especificação, falta de matéria-prima, excesso de quebras do equipamento principal, frequentes quedas de energia, presença de gargalo em linha de produção, entre outros. Neste caso a melhor atitude é fazer uma análise das informações para que se possa ter um quadro claro da situação e tomar as decisões certas.

Do ponto de vista do pensamento sistêmico, os problemas correspondem a "perda de função" de um sistema, ou seja, ele deixou de cumprir a(s) função(ões) para a(s) qual(is) foi projetado. Do ponto de vista gerencial, os problemas são indicadores gerenciais cujo valor não é desejado (problema é um resultado indesejado - *meu custo é o melhor do mundo, mas eu estou achando que ainda dá para cair mais, então eu tenho um problema!*").

Um administrador deve sempre se perguntar: "Quais as finalidades do sistema que gerencio?" Lembre-se que as verdadeiras finalidades estão sempre ligadas aos *stakeholders*, em especial aos Clientes (internos ou externos), uma vez atendido o desempenho financeiro. O não atendimento destas finalidades estabelece os verdadeiros problemas.

4.3 Todo Problema deve ser Estratégico

Um problema estratégico é aquele diretamente ligado às metas de longo prazo da organização e, portanto, ligado à sua própria sobrevivência (isto, por si só, garante que os problemas estejam nos fins e não nos meios). Um problema estratégico deve estar diretamente ligado aos indicadores finais da organização: acionistas, clientes, empregados e sociedade e são, como consequência, de interesse direto dos dirigentes. Portanto, o Gerenciamento pelas Diretrizes (GPD)[7] é muito importante por garantir a todas as pessoas da organização as suas próprias metas, todas elas interligadas por meio de um relacionamento causa-efeito com as metas estratégicas da empresa e bem determinadas a partir de lacunas previamente identificadas[7]. O GPD, quando praticado corretamente em todas as etapas do método PDCA no qual se baseia, é um instrumento de enorme poder na organização. O GPD é a administração da solução dos grandes problemas da organização.

Se as metas finais (e portanto estratégicas) da organização forem bem definidas e desdobradas metodicamente pelo GPD, fica garantido que:

(a) Todos os problemas da organização estarão bem definidos.

(b) Todos os problemas serão estratégicos.

(c) Todos os funcionários estarão alinhados.

Toda meta atingida deve resultar em um ou mais novos Procedimentos Operacionais Padrão e, consequentemente, em treinamento no trabalho de tal forma que o novo conhecimento adquirido pela empresa possa ser efetivamente transformado em resultados estáveis.

À medida que o GPD avança na empresa ao longo dos anos e é praticado por todas as pessoas (no nível operacional o GPD pode resultar em projetos de CCQ - Círculos de Controle da Qualidade ou equivalente, que trabalham projetos dentro das Operações), convém treinar os executivos e técnicos em recursos de análise e síntese cada vez mais sofisticados, utilizando computadores, softwares especializados que ajudam na análise, softwares de estatística, entre outros. Quanto mais competente em análise da informação for a equipe, mais conhecimento a empresa desenvolverá e melhores serão seus resultados.

4.4 Liderança, Desafio e Inovação

Outra questão relativa à identificação do problema é a atitude do líder da organização. Quando este líder coloca o problema principal da organização (ou a meta principal, o que é o mesmo) ele direciona a atenção, imaginação e criatividade de todos. Uma meta bem colocada pode, inclusive, mover a empresa em direção à inovação.

> *Conta-se que a criação do modelo de automóvel Prius da Toyota (que é econômico por conjugar um motor a gasolina com um elétrico), um grande sucesso de vendas, decorreu de um desafio estabelecido pela liderança da empresa aos seus engenheiros: "criar um modelo de automóvel que conseguisse ir de Nova Iorque a São Francisco sem reabastecimento!"*

Quando a meta é muito difícil de ser atingida na situação atual, a empresa deve dar o apoio necessário para que um novo processo ou produto possa ser projetado, pois uma inovação é um empreendimento que demanda método, persistência e, em alguns casos, muitos anos de trabalho.

> *Conta-se que, no passado, a PETROBRAS somente alcançava 100m de profundidade em águas oceânicas com a utilização de mergulhadores. A Shell nessa época já alcançava 300m. Foi então que o Eng. José Paulo da*

> *Silveira lançou um desafio à sua equipe: "O Brasil só tem possibilidades de ter petróleo em quantidades maiores em alto mar, então teremos que ser ótimos em águas profundas. Gente, nossa meta é alcançar 1500m!" Esta meta provocou um extenso trabalho de planejamento (que gerou 250 projetos específicos) e busca de conhecimento no Brasil e no Mundo, num processo de inovação aberta. Ao final de seis anos esta profundidade foi alcançada. Hoje a PETROBRAS detém a melhor tecnologia de exploração de petróleo em águas profundas e tem um modelo replicável de inovação. Para o petróleo do pré-sal precisaremos de alcançar 7000m.*

Um exemplo como este nos enche de orgulho e esperanças de que poderemos ter a percepção de que existem, em todas as organizações, novas profundidades a serem alcançadas!

Um problema (ou uma meta) não pode ser claramente impossível de ser resolvido a ponto de desanimar as equipes logo de saída e nem fácil demais a ponto de não trazer nenhum esforço para sua solução. Uma meta deve ser estabelecida de tal maneira que provoque constantemente a aquisição de novos conhecimentos pela organização.

4.5 Como Estabelecer Metas

> *As metas são estabelecidas para estreitar a distância entre o real e o ideal.*
>
> **Katsuya Hosotani**

A frase de Hosotani[23] expressa, para mim, a vontade natural de querer ser o ideal, o excelente, o melhor. Existe aí um lado cultural que deve ser cultivado e valorizado dentro da organização de tal forma que possa ser criado um clima de alegria pelo alcance de valores excepcionais, pela realização de um sonho grande ou, simplesmente, pelo fato de pertencer a um time de vencedores. Sentimentos como este, que já tive a felicidade de vivenciar durante muitos anos, é que ajudam a fazer a alegria da vida.

As metas decorrem, naturalmente, do Planejamento Estratégico. No entanto, caso não haja um Planejamento Estratégico formal, as metas financeiras devem orientar o que será feito nas outras frentes, pois elas serão o critério de prioridade para escolher entre os vários problemas a serem atacados. Existem também metas que não são financeiras mas que decorrem de uma visão estratégica ou de simples princípios, tais como metas sobre acidentes no trabalho, índices de poluição, índices de satisfação com o trabalho, entre outras.

Mencionam-se a seguir algumas práticas gerenciais que devem ser conduzidas anualmente em todos os níveis gerenciais da organização para facilitar o estabelecimento das metas.

(A) Determinação das lacunas

Todos os Diretores, Gerentes e Supervisores devem ser treinados para determinar, em suas respectivas áreas de trabalho, as suas lacunas. O valor da lacuna é a base sobre a qual podem ser estabelecidas metas racionais. Além disto, a lacuna dá a direção do gerenciamento. Estas lacunas correspondem à diferença entre o valor atual de um indicador e um valor ideal. Este valor ideal pode ser o melhor valor encontrado em outras empresas, pode ser um valor estequiométrico de uma reação química básica do processo, pode ser um número ideal como "zero acidente", "zero atraso", "zero defeito", ou "zero perda", pode ser um desvio padrão bom para certa variável, pode ser um valor equivalente a uma velocidade de escoamento ideal de um processo (*lean values*), enfim, use uma referência excepcional ainda que seja teórico atingi-la. Na área de vendas não é diferente. Compare desempenhos de vendedores, de produtos, de regiões. Compare margem de vendas em regiões diferentes, gerentes diferentes, canais diferentes.

Os principiantes tremem diante das lacunas porque pensam que aquilo é meta. Não é. A meta é estabelecida dentro da lacuna. A função da lacuna é prover uma maneira criteriosa de se estabelecer uma meta, além de dar uma visão de futuro para o gerenciamento. Existe uma regra de se estabelecer como meta anual 50% da lacuna. Esta meta é geralmente ultrapassada e é melhor que o seja. No entanto, existem situações em que esta regra não é possível e cada caso deve ser analisado com cuidado. Devemos ser ambiciosos em determinar as lacunas e ter sempre em mente que a verdadeira alegria no trabalho é atingir as metas em equipe, com uma visão de construção de uma empresa excelente.

(B) Priorização

"Quem tem muitas prioridades acaba por não ter nenhuma". Este slogan é a mais pura verdade. Cada chefia deve ter de três a cinco metas prioritárias, nunca mais do que isto. As prioridades devem sempre ser estabelecidas, dentro de cada nível gerencial, de preferência por um critério financeiro. Uma outra maneira é colocar como prioritário um problema que, muito embora não seja uma prioridade financeira para sua área, é uma prioridade da empresa. Por exemplo: metas que decorrem da melhoria no prazo de entrega de produtos, da redução do *turnover* de pessoal, entre outras.

(C) Desdobramento

A grande maioria das metas em toda a organização deve se originar das metas estratégicas. Esta é a razão da importância do Gerenciamento pelas Diretrizes ao garantir que o desdobramento seja bem feito, alinhando toda a empresa e fazendo o acompanhamento e correções mensais. A Figura 4.5 mostra um exemplo de uma linha de desdobramento de uma meta desde o Diretor até o piso operacional. Neste desdobramento as metas de cada nível devem estar interligadas (se as metas dos Supervisores forem batidas a do Gerente também será) e a linguagem deve mudar em cada nível, saindo de um indicador estratégico (EBITDA), passando por um indicador geral (Eficiência Global) até um indicador operacional e atuável (redução de horas paradas). Os valores das metas devem estar matematicamente interligados.

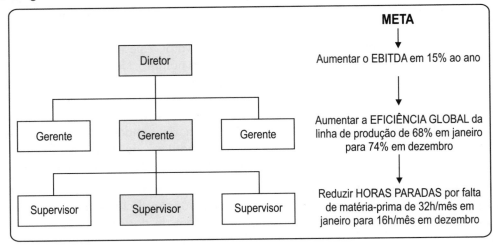

Figura 4.5: Modelo estrutural mostrando uma linha de desdobramento de uma meta.

Alguns comentários finais sobre o estabelecimento de metas:

(a) As metas devem ser suficientemente desafiantes, em todos os níveis gerenciais, de tal modo a forçar a busca de conhecimento novo.

(b) As metas não podem ser estabelecidas de tal forma a desanimar a todos mesmo antes do trabalho começar. As pessoas devem achar difícil atingir as metas mas devem acreditar que seja possível (...*"se alguém já chegou lá, posso chegar também!"*...).

(c) As metas são estabelecidas para ser atingidas. Este fato deve ser considerado no Sistema de Avaliação do Desempenho.

(d) As metas devem estar alinhadas e amarradas no orçamento de organização.

4.6 Gerenciamentos Funcional e Departamental

Existem metas que são trabalhadas departamentalmente (verticais) e outras que exigem um trabalho funcional ou interdepartamental (horizontais).

A função de qualquer organização é servir às pessoas. Estas pessoas são os clientes, empregados, acionistas e vizinhos, todos chamados de *stakeholders*. O gerenciamento que trata destes interesses é chamado de Gerenciamento Funcional, pois trata das funções da organização. Os outros gerenciamentos que tratam dos vários departamentos da organização são chamados genericamente de Gerenciamento Departamental. Assim, o estabelecimento e desdobramento das metas da organização balanceiam o trabalho conduzido por estes dois tipos de gerenciamento. As empresas são normalmente organizadas verticalmente (departamentos, níveis hierárquicos, etc.), mas funcionam horizontalmente (processos).

Vale alertar o leitor para o fato de que este texto segue a linha de designar Gerenciamento Funcional ao que trata dos *stakeholders*, portanto das funções prioritárias do Sistema Organizacional[15]. A literatura ocidental designa este gerenciamento de interfuncional mas a realidade é que, no mundo ocidental, o gerenciamento interfuncional se resume a alguns projetos interdepartamentais e não tem a extensão em que é utilizado na Toyota. Para que se possa ter um entendimento destes tipos de gerenciamento, vamos nos referir à Figura 4.6.

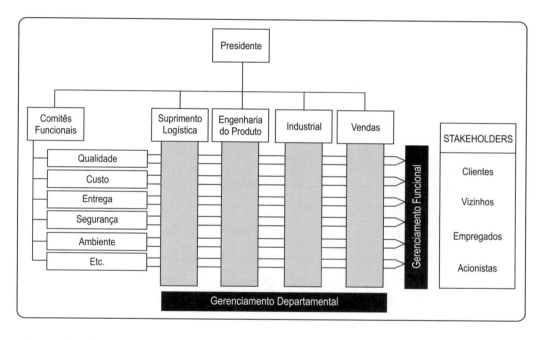

Figura 4.6: Organograma mostrando o relacionamento dos Gerenciamentos Funcional e Departamental.

Na Figura 4.6, os quatro diretores departamentais do exemplo (Suprimentos e Logística, Engenharia do Produto, Industrial e Vendas) estarão preocupados com seus próprios problemas e não terão disposição de tratar de problemas relativos aos *stakeholders*, que envolvem, geralmente, toda a cadeia de valor. Os Comitês Funcionais, focados nos problemas (metas) funcionais, conduzem o planejamento para sua solução. Cabe ao Gerenciamento Departamental a execução destes planos de tal forma que as metas possam ser atingidas. O Gerenciamento Funcional é uma gestão muito diferente da departamental, e poucas empresas conseguem estabelecer este gerenciamento pois leva alguns anos, muita insistência e boa dose de entendimento e compreensão por parte de todos. A grande dificuldade enfrentada pela Toyota[15] na implementação deste tipo de gerenciamento foi a falta de uniformidade de entendimento do conceito de "função" (veja item 3.3, "Pensamento Sistêmico"). A Toyota começou este tipo de gerenciamento com aproximadamente 24 funções e mais tarde, devido às dificuldades no gerenciamento este número foi reduzido para 8. Hoje o Gerenciamento Funcional, estabelecido em 40 anos de experiência, é reconhecido como uma das fortalezas gerenciais da Toyota. Hino[15] recomenda iniciar pelas funções qualidade e custo para que a empresa aprenda o mecanismo do gerenciamento funcional e o conceito de função.

Muito embora a operação da organização seja conduzida pelo Gerenciamento Departamental, o foco da organização é cuidado pelo Gerenciamento Funcional. As metas da organização devem ser funcionais e o desdobramento destas metas deve ser inicialmente conduzido horizontalmente ao longo dos principais processos e depois verticalmente em cada departamento. Este é o estágio mais avançado do Gerenciamento pelas Diretrizes.

Hino[15] enfatiza que, em cada função, devem ficar claras para cada departamento as suas responsabilidades. Ele lista a agenda dos Comitês Funcionais:

(a) Desdobramento das metas funcionais.

(b) Planejamento para atingir as metas.

(c) Planejamento de novos produtos, equipamentos, produção, vendas, etc.

(d) Assuntos críticos das operações.

(e) Políticas para remover os obstáculos à boa execução.

(f) Assegurar que as Ações Corretivas sejam conduzidas.

(g) Assegurar que haja continuidade de ações ao longo dos anos no Planejamento Estratégico.

(h) Outros assuntos necessários para garantir o pleno cumprimento das funções organizacionais.

Hino[15] menciona ainda alguns pontos importantes para o sucesso do Gerenciamento Funcional:

(a) Selecionar as funções da organização de forma rigorosa. Esclarecer as funções necessárias para atingir os objetivos empresariais e clarificar o papel de cada departamento com respeito a estas funções. Este papel é bem definido nos Padrões Técnicos de Processo e nos Padrões Gerenciais.

(b) Não imaginar o Gerenciamento Funcional como algo informal. Ele é baseado em sistemas, padrões, indicadores, auditorias e equipes altamente qualificadas na solução de problemas.

(c) Não ter dúvidas de que os Comitês Funcionais, como entidades organizacionais, ocupam lugar imediato ao mais alto posto de tomada de decisões dentro da alta administração. Estes comitês devem ter o poder e autoridade de que necessitam para assumir as responsabilidades ao lado dos *stakeholders*.

O Gerenciamento Funcional se responsabiliza pelos problemas funcionais da organização (relativos aos *stakeholders*), que são essencialmente interdepartamentais e que, normalmente, não são bem tratados. A prática de solução de problemas é a essência do Gerenciamento Funcional, os problemas são mais difíceis por seu caráter interdepartamental e exigem equipes muito bem preparadas em análise.

A Toyota[15] conduz o conceito "linha" (gerenciamento departamental) e "staff" (gerenciamento funcional) com muita cautela, pois o Gerenciamento Funcional não é fácil de implementar. A atuação da linha tem prioridade, já que está diante da realidade e é responsável por fazer acontecer. No entanto, tem que haver uma responsabilidade consciente da prioridade dos indicadores funcionais da organização. O *staff*, a menos que seja claramente autorizado pela administração, permanece no *background* como "sábias mães"[15]. No entanto, quando surgem problemas no lado dos *stakeholders* o *staff* entra correndo como o Corpo de Bombeiros!

Algumas pessoas me perguntam se as normas que regem os Sistemas de Garantia da Qualidade não seriam suficientes para que se alcance o Gerenciamento Funcional. Sempre respondo que não, pois, se assim fosse, nenhuma empresa teria problemas de qualidade e nem de satisfação dos *stakeholders*. A dificuldade de estabelecer o Gerenciamento Funcional não é a falta de regras ou normas e sim de entendimento por parte das pessoas do conceito de hierarquia de sistemas e de como se comportar no cruzamento dos Gerenciamentos Funcional e Departamental. A dificuldade é humana e organizacional e não de falta de regulamento!

Finalmente, gostaria de deixar registrado para reflexão que, com a operação do Gerenciamento Funcional, o Gerenciamento pelas Diretrizes deixa de ser estrutural (desdobramento "de cima para baixo") e passa a ser funcional (desdobramento dos fins para os meios dentro dos processos). Este fato está previsto em nosso texto sobre Gerenciamento pelas Diretrizes[7] como um estágio avançado do GPD.

Parte II

O Método Gerencial

5 Análise de Sistemas

We do not live in a unidirectional world in which a problem leads to an action that leads to a solution. Instead, we live in an on-going circular environment. Each action is based on current conditions, such actions affect future conditions, and changed conditions become the basis for later action. There is no beginning or end to the process. Feedback loops interconnect people. Each person reacts to the echo of his past actions, as well as to the past actions of others.

Jay W. Forrester[29]

Estou convencido de que a capacitação em análise já faz e fará cada vez mais grande diferença para pessoas, empresas e estados. Quanto mais farta e disseminada está a informação mais necessitamos da prática da análise em todas as profissões e em todas as organizações para conhecer a verdade dos fatos e tomar as decisões certas. Esta consciência está disseminada no mundo por meio de farta literatura a respeito e já se fala em *The Age of Analysis*. Não sei como ser mais enfático com meu leitor e o convido a tomar consciência dos conceitos de Análise e de Sistema para entender melhor o significado e a importância da Análise de Sistemas.

5.1 Ato de Captar e Desenvolver Conhecimento

Uma vez determinado o verdadeiro problema (ou a meta) por meio da análise funcional, a etapa seguinte é estabelecer o Plano de Ação para resolvê-lo. Um Plano de Ação é um resumo das decisões tomadas. O Planejamento é o ato de captar e desenvolver conhecimento para reduzir as incertezas neste processo de tomada de decisões. Existem várias maneiras de se estabelecer um Plano de Ação, desde as mais simples até processos bem sofisticados e que podem durar meses. É uma questão de conhecimento disponível e da dificuldade em obtê-lo.

Para estabelecer um bom Plano de Ação temos que ter o conhecimento necessário. Se uma pessoa recém-chegada à organização traz consigo um conhecimento que pode ser utilizado, basta que ele diga o que deve ser feito, o problema é resolvido e a meta atingida. Nem é necessário Plano de Ação. É muito bom quando pode ser assim pois a organização resolve logo seus problemas mais prementes. No entanto, à medida que o tempo passa, novos resultados precisam ser alcançados e, caso o conhecimento desta pessoa tenha sido todo transformado em resultados, os Planos de Ação já não podem ser feitos somente a partir de suas recomendações. Novos conhecimentos precisam ser buscados.

Este conhecimento necessário pode estar difundido entre as pessoas da empresa (pode ser que nenhum indivíduo sozinho tenha o conhecimento total necessário, mas o somatório do conhecimento de todos pode ser suficiente). Se colocarmos todos dentro de uma sala e fizermos um *brainstorming*, sairemos de lá, depois de 4 a 6 horas, com o Plano de Ação pronto, dependendo da habilidade da pessoa que convocar e conduzir esta reunião. Da mesma forma que o exemplo anterior, depois de certo tempo o conhecimento destas pessoas foi transformado em resultados e teremos que beber de outras fontes para que possamos progredir. Repare que uma condição restritiva para a solução de um problema é o conhecimento disponível. Coloco de outra forma: *"uma das condições restritivas para alcançar resultados extraordinários é o conhecimento disponível!"*

As organizações, depois de esgotados os conhecimentos de seu pessoal, recorrem a outras fontes para conhecimento:

(a) Recursos externos, como consultores, técnicos, professores (cursos técnicos), análise da literatura, visita a outras empresas, congressos, entre outros.

(b) Prática da análise e da síntese da informação, utilizando modelos (ver Apêndice) como meio criador de novo conhecimento específico para a solução dos problemas atacados. A Pesquisa e Desenvolvimento é um caso particular de análise e síntese.

Na verdade, frequentemente, as fontes acima podem funcionar simultaneamente, pois a prática da análise demanda conhecimento técnico que, na maioria das vezes, deve ser buscado fora, desenvolvido na produção ou desenvolvido em laboratório. Para uma organização, o momento da análise é o melhor e mais organizado para se agregar conhecimento técnico, pois este conhecimento é mais bem absorvido quando existe uma demanda clara.

Recorrendo ao pensamento sistêmico, vamos refletir sobre a questão de uma organização ser um sistema mais ou menos aberto. Existem organizações com uma cultura provinciana de rejeição às contribuições externas que acaba por prejudicar suas ambições de excelência e competitividade. Para que se possa alcançar resultados extraordinários, é necessário abrir as organizações para que o conhecimento possa fluir. **Precisamos compreender que o desenvolvimento de uma organização é um processo educacional de acumulação de conhecimento.**

5.2 Introdução ao Conceito de "Alvo"

As organizações de segurança utilizam o termo "Alvo" para delimitar o que deve ser analisado para a solução de um problema e este mesmo termo pode perfeitamente ser usado pelas demais organizações, pois o conceito é ótimo. Um "alvo" é o conjunto de fins e meios envolvidos no problema que se deseja resolver. Em outras palavras, o alvo é o sistema a que se refere o problema com suas *estruturas*, *processos* e *funções*. Um alvo pode ser, por exemplo, uma organização, uma linha de produção, um produto, uma máquina, uma pessoa, um canal de vendas, um sistema financeiro de um país, sobre o qual existam dúvidas (ou lacunas de conhecimento) para que possam ser tomadas decisões que resolvam os problemas.

> *Nem sempre é muito fácil delinear o alvo. Lembro-me de que determinado laminador de chapas apresentava um problema crônico muito difícil de resolver e durante anos perdia os primeiros metros de cada bobina, que ficavam amassados, cheios de ondas e dobras horizontais. Ao final de um ano eram milhares de toneladas de chapas perdidas. Qual seria o alvo? O laminador? Só a parte mecânica? Só a parte elétrica? Só os cilindros laminadores? Toda a linha de produção? Fomos ampliando o alvo e finalmente, depois de meses de luta para descobrir a causa, a engenharia da empresa, utilizando testes eletrônicos, descobriu que houve um erro de montagem do equipamento. Desfeito o erro, o problema foi eliminado para sempre.*

A determinação do alvo deve ser feita por pessoal com conhecimento amplo do sistema de tal forma a aumentar as chances de que os verdadeiros fatores formadores do problema possam ser englobados.

Por exemplo, numa linha de produção é muito comum que se encontrem as causas de um problema num equipamento fora daquele onde o problema foi inicialmente localizado. Se o alvo for escolhido como sendo o equipamento onde o problema foi localizado, o problema nunca será resolvido. Se o alvo for a linha de produção, provavelmente o será.

Um outro exemplo é o problema de perda de *market-share* de certo produto. Qual o alvo? O setor de vendas? Marketing? Desenvolvimento de novos produtos? O alvo deve ser escolhido de forma mais ampla no início da análise e depois ele vai sendo estreitado à medida que se conhece melhor o problema. O processo de análise do alvo deve ser, por esta razão, interativo.

5.3 Introdução aos Conceitos de Análise e Síntese

Aurélio[14] define análise como o "exame de cada parte de um todo, tendo em vista conhecer a sua natureza, suas proporções, suas funções, suas relações, etc.".

A informação por si só pode ser disforme e, geralmente, não mostra nitidamente o que contém. Imagine tabelas com milhares de números estocados em um banco de dados de um computador ou a quantidade de informações contidas na internet. Nada valem até que possam ser analisadas. A análise é um processo, às vezes complexo, de entender o significado das informações disponíveis. Finalmente, a análise está sempre relacionada a um "alvo".

A Figura 5.1 mostra um modelo de como ocorre a transformação de informação em conhecimento por meio da Análise da Informação. Repare que, durante a análise, são utilizados modelos que facilitam a organização e entendimento da informação. A informação é disforme e o conhecimento é algo dali extraído e que pode ser utilizado numa tomada de decisão.

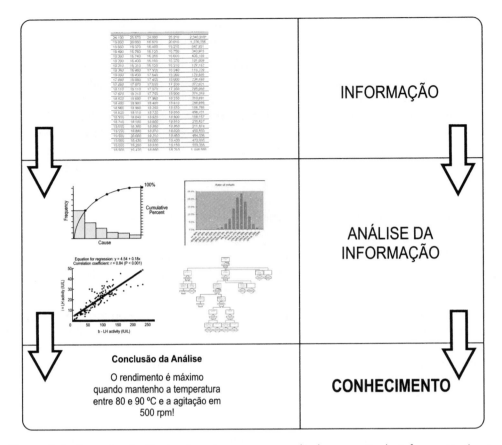

Figura 5.1: Extração de Conhecimento e novos resultados a partir da informação (parte do método cartesiano).

Em uma atividade militar ou policial é mais fácil entender que, para que uma operação possa ser mais eficaz, é necessário que os comandantes saibam exatamente onde e como se defender ou onde e como atacar. Para que haja um plano de defesa ou de ataque confiável e seguro para as pessoas que o executam, é necessário que se tenha um perfeito conhecimento do alvo por meio de análise das informações.

Em uma atividade empresarial ou pública não é diferente. Hoje em dia, considerando-se o nível de gerenciamento praticado, seria praticamente impossível, por exemplo, entrar num programa de redução de custos sem que haja uma análise prévia da estrutura de custos que nos permita especificar exatamente uma meta razoável, as principais frentes a serem atacadas e como.

A análise da informação permite conhecer melhor o alvo de tal maneira que viabilize a síntese. Aurélio[14] define Síntese como a *"reunião de elementos concretos ou abstratos em um todo; fusão, composição"*. A Síntese tem em vista conhecer, ou seja, estabelecer um modelo final conhecido do "alvo". Será visto mais adiante que, uma vez que se tenha um "modelo" do alvo, teremos um conhecimento razoável de seu comportamento e poderemos atuar com segurança sobre ele para maximizar os resultados.

Resumindo, por meio do uso de modelos (ver Apêndice) analisamos uma quantidade muito grande de informações e abandonamos aquilo que for irrelevante, compondo, finalmente, um modelo de informações relevantes que é a síntese, o conhecimento final necessário para resolver o problema.

5.4 Análise do Alvo por meio de Modelos

O mundo das coisas da natureza pode ser complexo. Para compreender esta complexidade, os cientistas tentam conhecer os fenômenos da natureza com imagens simplificadas da realidade conhecidas como **modelos**. Os modelos permitem uma tentativa de visualização do conhecimento.

Não só na ciência como também no mundo organizacional os modelos são uma representação da realidade que pode então ser explicada matematicamente e por meio do uso de diagramas e gráficos. A Figura 5.2 ajuda a explicar o processo envolvido na compreensão científica. As setas sugerem que este processo de compreensão seja uma contínua interação entre o fenômeno percebido e o observador. Em um primeiro movimento o observador procura, por meio da análise, dissecar o problema em suas partes para melhor entendê-lo, agrega as informações pertinentes, elimina partes não relacionadas ao problema, prioriza e finalmente constrói o modelo final do sistema alvo, que é a síntese.

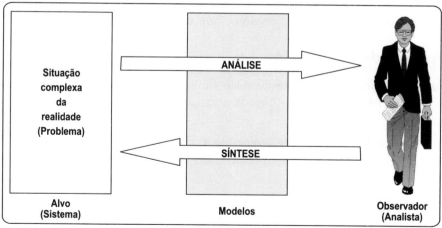

Figura 5.2: Utilização de modelos para compreensão de sistemas complexos.

Quando se analisa um problema de um sistema (em outras palavras, uma disfunção do sistema) é necessário representar a estrutura ou o fluxo do processo formador deste problema de alguma forma, de tal maneira que as pessoas possam entendê-lo melhor.

Um modelo deve descrever como a estrutura ou o fluxo do processo formador do problema se comportam. Nós utilizamos modelos em nosso dia a dia mesmo sem pensar que os estamos usando. Um Diagrama de Árvore e um Fluxograma são, por exemplo, recursos de uso generalizado utilizados para modelar a estrutura ou o fluxo do processo formador de uma disfunção (problema) do sistema. As próprias figuras utilizadas neste texto são modelos que procuram ajudar o entendimento dos conceitos. Um simples gráfico de y (variável dependente ou problema) contra x (variável independente ou causa) é um modelo que nos ajuda a entender a relação entre duas variáveis.

Modelos são concepções mentais utilizadas para representar a estrutura ou o fluxo do processo formador das disfunções de sistemas e são uma eficiente ferramenta de comunicação que serve ao entendimento do funcionamento do alvo e leva ao pensamento criativo. O analista deve fazer um grande esforço de representar a síntese de suas análises da melhor forma possível, de tal maneira que haja compreensão do que acontece por parte de um número grande de pessoas. Assim todos podem aprender e colaborar. Os modelos (ver Apêndice) são, desta maneira, importantíssimos para a aquisição de conhecimento em geral. Um modelo deve representar o conhecimento de uma tal maneira que "basta olhar para entender", pois existe um estreito relacionamento entre comunicação e aprendizado.

O primeiro passo ao criar um modelo é definir o sistema que engloba as partes de interesse ("Alvo") de tal forma que o modelo resultante possa responder ao problema. As questões colocadas para a solução do problema devem ser respondidas referindo-se somente ao alvo, sem a necessidade de buscar algo além dele. O estabelecimento do sistema (alvo) a que se refere o problema (meta) é o primeiro passo de um processo de planejamento, que discutimos a seguir.

5.5 Processo de Planejamento

Existe um processo de planejamento e ele é único, independentemente do tamanho e do tipo do problema. Existem alguns princípios que devem reger o processo de planejamento:

(a) O planejamento deve ser sempre feito dos fins para os meios (de jusante a montante), por meio da análise e da síntese, até que se apresente uma solução satisfatória.

(b) No caminho de jusante a montante deve ser utilizada a priorização (o critério de priorização deve ser estabelecido para cada caso, mas sempre obedecendo à prioridade maior).

(c) Pode ser que haja muitos fatores atuando sobre determinado resultado, mas 20% destes modificarão em 80% o resultado e poderão ser o suficiente para resolver o problema (princípio de Pareto).

(d) O planejamento é interativo (interação entre o analista e as pessoas que detêm o conhecimento técnico) e consiste essencialmente na busca do conhecimento necessário à solução de determinado problema - ver Figura 5.2 - (as pessoas recebem informações que, analisadas, trazem conhecimentos que, confrontados com o conhecimento técnico disponível, demandarão novas informações até que se complete o quadro de certeza para a tomada de decisão).

(e) Esta interação entre os analistas e outras partes relacionadas depende do processo de comunicação de tal forma que o conhecimento, ao se tornar visível, propicie a participação de todos.

Resumindo, existem três princípios importantes no planejamento:

(a) Princípio da análise e da síntese.

(b) Princípio da visibilidade e participação.

(c) Princípio da priorização e otimização.

No planejamento avaliamos modificações em um sistema, seja ele do tamanho que for, de tal forma que seus resultados possam ser melhorados (ou em linguagem do pensamento sistêmico, de tal forma que sua função cumpra com as novas necessidades estabelecidas, que são as metas). Um sistema se caracteriza por suas estruturas, seus processos e suas funções e, portanto, um processo de planejamento deve considerar estas três características de sistemas. Assim, quando analisamos um sistema (alvo), teremos três tipos básicos de análise:

(a) **Análise Funcional**: analisa os resultados do sistema em função do tempo, do local, do tipo e do sintoma, podendo fazer comparações com outros sistemas similares para o conhecimento mais detalhado do problema e de seu tamanho, facilitando o estabelecimento de metas (por meio das lacunas).

(b) **Análise do Fenômeno**: analisa as condições formadoras do problema e pode ser de dois tipos:

- Análise Estrutural (Vertical): analisa a estrutura do sistema (alvo) formadora do problema. Sempre que se fala em estrutura as pessoas tendem a pensar em estrutura hierárquica. Não é o caso aqui. Estamos nos referindo à estrutura formadora do problema. Se o problema for relativo a custo, então dissecaremos a estrutura formadora dos custos.

- Análise do Fluxo dos Processos (Horizontal): analisa como acontece o fluxo (de energia, materiais ou informação) formador do problema dentro do sistema (não confundir com "Análise de Processo" onde se busca a causa de um problema menor) e sua influência sobre o problema. Se o problema for relativo ao crime, por exemplo, analisaremos o processo de repressão ao crime.

(c) **Análise de Processos**: É a fase final do processo de análise e é conduzida sobre dezenas, centenas ou milhares de problemas menores decorrentes do desdobramento do problema maior feito nas etapas anteriores.

Busca as causas específicas de cada problema para que sobre elas possam ser tomadas ações muito específicas.

A Figura 5.3 mostra um processo geral de planejamento. Se este processo de planejamento, mostrado na Figura 5.3, for utilizado para alcançar visões de longo prazo, teremos o Planejamento Estratégico. Se este mesmo processo for utilizado por um técnico para resolver um problema difícil no Gerenciamento Funcional, teremos então a solução de um problema operacional. O mesmo processo pode também ser utilizado por um grupo de operários e teremos então um caso de CCQ (Círculos de Controle da Qualidade). O mesmo processo pode ainda ser utilizado na solução dos grandes problemas da diretoria da organização para o ano e teremos então o Gerenciamento pelas Diretrizes, onde o problema maior é dividido em muitos outros problemas (metas) menores. O desdobramento certo das metas da organização é o baseado em análise e síntese. Do ponto de vista do Pensamento Sistêmico, o desdobramento de metas, como colocado na Figura 5.3, é também um Desdobramento de Funções (cada Problema Menor desdobrado pertencerá a um sistema com sua função).

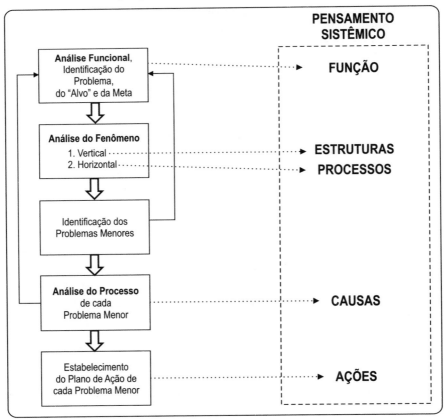

Figura 5.3: Modelo do Processo Simplificado de Planejamento.

Um plano nunca é perfeito e representa o que conhecemos do alvo no momento em que foi feito. Ele pode ser estabelecido com mais ou menos ações que as necessárias. Pode também ser estabelecido com ações erradas, pois a prática da análise nem sempre é perfeita. Devemos ter um posicionamento humilde em relação ao plano para deixar claro que ele possivelmente terá que ser corrigido ao longo do esforço de atingir a meta, quando teremos mais entendimento do "alvo". Quando, no acompanhamento mensal do alcance de metas, é percebido que a meta não será atingida, é necessário que se conduza uma outra análise, agora com mais informações e conhecimento sobre o que está sendo feito, e se proponha um acerto do plano.

Não é crime não alcançar metas. Em uma reunião de acompanhamento de metas não se dão desculpas. Desculpas não constroem uma organização e são patéticas. **O que se espera de um gerente que não está conseguindo alcançar suas metas é que ele analise outra vez o problema junto com sua equipe e entregue, na reunião, um plano complementar. Isto é o que deve ser discutido numa reunião. É isto que a alta administração espera de você.**

6 Como Conduzir a Análise

A melhor análise é a mais simples, desde que ofereça o entendimento necessário.

Donald J. Wheeler

O objetivo geral da análise e da síntese é reduzir as incertezas na tomada de decisões.

Quando se tem um problema ou quando é colocada uma meta (o que é o mesmo), o primeiro impulso é pensar numa ação para solucioná-lo. Muitos julgam que têm a obrigação de ter resposta para tudo e assim que o problema é apresentado já "sugerem" uma solução.

> *Lembro-me de que, durante a crise de energia em 2001, quando participei como membro do Comitê Gestor da Crise, no primeiro dia, no primeiro momento de uma reunião no Palácio do Planalto, um dos participantes sugeriu que se fizesse um "apagão nacional educativo", com a finalidade de "criar uma consciência de crise na população". A idéia foi delicadamente descartada pelo Presidente do Comitê e passamos a tomar ações para conhecer o problema, estabelecer metas e montar os planos de ação. A gestão da crise de energia brasileira foi um sucesso e só depois fomos saber, quando o Exército Brasileiro fez auditorias, que, dos 900 hospitais auditados, somente 40 tinham seus geradores funcionando. Se tivéssemos feito o "apagão nacional educativo", muita gente teria morrido, principalmente dentro daqueles hospitais que não estavam em condições de suportar tal teste.*

Descartes[3] defende o uso da intuição, que decorre de conhecimento inconsciente adquirido ao longo da vida. No entanto, não dá para administrar uma organização com base em opiniões. Para que a intuição, que é uma hipótese, não se torne uma opinião[3], é necessário que haja a confirmação da hipótese por meio da análise e consequente teste. Portanto, quando se tem a hipótese para a solução de um problema, pode-se ir diretamente para a fase de identificação das causas (Análise de Processo) com o objetivo de testar a viabilidade da solução proposta.

No entanto, na ausência de uma intuição verdadeira, o melhor é partir para uma análise completa.

6.1 Método Geral de Análise

Para atingir as metas estratégicas da organização (que serão as metas de meus leitores, Diretores e Gerentes) é bom ter um caminho, um método sobre o qual se apoiar e que seja uma linguagem comum a um grupo de pessoas, já que os problemas da alta administração são resolvidos por muitas pessoas. A Figura 6.1 mostra o modelo do método geral de análise de um Problema Maior (meta estratégica).

A Figura 6.1 mostra o papel da alta administração: desdobrar suas metas (seus problemas) de tal forma que toda a sua equipe possa colaborar para que elas sejam alcançadas. No final, as metas desdobradas (Problemas Menores) deverão ser incorporadas ao Gerenciamento da Rotina do Trabalho do Dia a Dia de cada um e trabalhadas por todos. Isto deve alimentar o Sistema de Avaliação do Desempenho e Remuneração Variável da empresa.

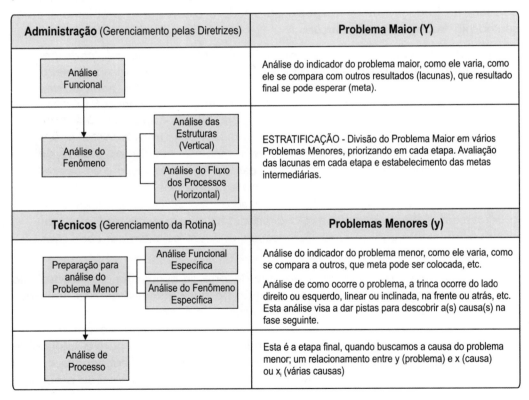

Administração (Gerenciamento pelas Diretrizes)		**Problema Maior (Y)**
Análise Funcional		Análise do indicador do problema maior, como ele varia, como ele se compara com outros resultados (lacunas), que resultado final se pode esperar (meta).
Análise do Fenômeno	Análise das Estruturas (Vertical) / Análise do Fluxo dos Processos (Horizontal)	ESTRATIFICAÇÃO - Divisão do Problema Maior em vários Problemas Menores, priorizando em cada etapa. Avaliação das lacunas em cada etapa e estabelecimento das metas intermediárias.
Técnicos (Gerenciamento da Rotina)		**Problemas Menores (y)**
Preparação para análise do Problema Menor	Análise Funcional Específica / Análise do Fenômeno Específica	Análise do indicador do problema menor, como ele varia, como se compara a outros, que meta pode ser colocada, etc. / Análise de como ocorre o problema, a trinca ocorre do lado direito ou esquerdo, linear ou inclinada, na frente ou atrás, etc. Esta análise visa a dar pistas para descobrir a(s) causa(s) na fase seguinte.
Análise de Processo		Esta é a etapa final, quando buscamos a causa do problema menor; um relacionamento entre y (problema) e x (causa) ou x_i (várias causas)

Figura 6.1: Modelo do Método Geral de Análise de um Problema Maior da alta administração.

Pode ocorrer que uma análise fique restrita a dados já existentes. É importante não perder de vista o sistema (alvo) como um todo e identificar todos os seus componentes que precisam ser mais bem entendidos. Vale também destacar o cuidado necessário com a confiabilidade das informações. Podemos ter problemas que na verdade não existem ou são diferentes do que constatamos inicialmente, devido apenas a erros de informação (medição).

Neste capítulo conduzimos o leitor através das várias etapas da Figura 6.1, para detalhar melhor o seu conteúdo.

6.2 Análise Funcional

Uma das recomendações mais importantes que se podem fazer ao analista é que desde o início dos trabalhos comece a preparar a apresentação final da análise de seu alvo. Faça uma apresentação com uma sequência de modelos daquilo que se espera que venha a acontecer, simulando um Relatório Final ("Dummy Report"). Isto o ajudará a "organizar as idéias". É óbvio que, ao longo da análise, serão feitos ajustes na apresentação, mas a grande vantagem é que não só suas idéias estarão mais organizadas como você estará sempre pronto para mostrar o estágio atual aos outros participantes.

A Análise Funcional é a análise das funções do sistema alvo onde se localiza o problema. Na Análise Funcional são observados os indicadores finais do sistema alvo, seu histórico, como eles variam e como eles se comparam com outros indicadores de sistemas semelhantes. Cada função do sistema alvo terá pelo menos um indicador. O principal objetivo desta análise é conhecer melhor o problema e saber o tamanho da lacuna para que se tenham condições de estabelecer metas desafiantes mas atingíveis.

Identificação do problema e sua meta: Vamos supor que uma pessoa assuma o comando de um Ministério do Governo Federal (ou de uma empresa, ou de um hospital, ou de um departamento, etc.). Qual deveria ser sua primeira preocupação? Sugiro que ele pergunte à sua equipe o seguinte: "Quais são as funções de nosso Ministério?" (o Ministério é um sistema). Uma vez clareadas as funções e os indicadores de cada uma, o próximo passo é fazer uma análise funcional para conhecer cada indicador, suas lacunas e que metas podem ser colocadas. Isto é a essência da liderança. É o passo inicial para dar a direção geral dos trabalhos. Um problema, bom ou ruim, está sempre associado a uma meta. Por exemplo, se desejo ter consistência nos produtos, qualquer desvio das especificações (metas) se traduz em problemas (que podem até ser crônicos e de difícil solução). Se queremos aumentar as vendas para aproveitar melhor a nossa capacidade de produção, teremos que declarar como problema "Baixo Volume de Vendas". Vou declarar este problema mesmo que o desempenho das pessoas de vendas seja ótimo. Declarar um problema deve ser uma alegria e produto de uma tremenda vontade de melhorar. Desnecessário dizer que o problema sempre estará nos fins, nas funções do sistema (o responsável pela meta deve ter autoridade sobre os meios) ou deve ser produto de um desdobramento de uma meta estratégica da organização.

Verificação da variabilidade dos indicadores: Ao fazer a análise funcional de nossos problemas, temos que estar conscientes de que tudo neste mundo varia e que estamos sempre lidando com médias. Por exemplo, o valor mensal da Margem do EBITDA é uma média de valores diários que variam em função de vários fatores. Se tivéssemos a necessidade (ou possibilidade) de calcular o valor diário da Margem do EBITDA e o colocássemos num gráfico constataríamos o seu aspecto flutuante.

O mesmo é verdade para todos os indicadores organizacionais, de empresas ou de órgãos públicos. Wheeler[22] aborda este assunto de variação de indicadores organizacionais para fácil entendimento do Diretor e Gerente e é uma excelente referência. Diria mesmo que sua leitura é fundamental. Não deixem de ler! Muitas vezes você é levado a crer que um indicador está melhorando quando na realidade ele está apenas sofrendo uma variação normal. Para que você tenha certeza de que o resultado melhorou de fato é necessário verificar, por meio da estatística, que houve uma mudança definitiva no processo. São coisas fáceis de fazer e certamente em sua equipe alguém domina esta técnica simples.

Acredito numa afirmação que ainda não foi desmentida: "*onde há variações existem oportunidades de ganhos*". Por exemplo, vamos supor que tenhamos um problema de "Baixa Rentabilidade de Vendas". Ora, a rentabilidade de vendas é um número médio que está provavelmente escondendo algum fenômeno interessante que merece ser investigado analisando-se a rentabilidade de cada venda (cada nota fiscal) por meio de um modelo bom para lidar com variações, que é o histograma (ver Apêndice), como mostrado na Figura 6.2. Existem outros modelos utilizados para verificar a variação de indicadores, sendo a carta de controle um deles, além do histograma.

A rentabilidade média das vendas é um número médio e, no caso da Figura 6.2, positivo. No momento em que analisamos cada venda (cada nota fiscal), aparecem umas que são muito mais rentáveis que a média e outras que dão prejuízo. A análise deste histograma nos leva a pensar que alguns vendedores podem não estar tendo bom desempenho, dando mais desconto do que deveriam, ou que as vendas em certas regiões são de tamanho muito pequeno, onerando a logística e tornando a rentabilidade da venda negativa, ou ainda que certo mix de produtos está com margem muito ruim comparado a outros, ou ainda outras hipóteses. O fato é que esta primeira análise funcional já nos indica que certamente temos problemas específicos que devem ser quantificados e aprofundados com mais análise, de forma que possamos afirmar com mais certeza as suas origens. Este tipo de conhecimento sobre a variação do indicador relativo ao problema já nos dá uma boa orientação sobre como abordaremos a próxima fase de análise, denominada análise do fenômeno.

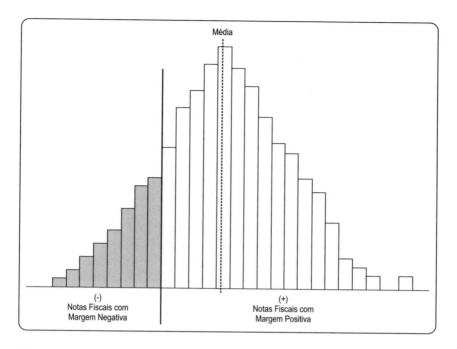

Figura 6.2: Histograma mostrando a distribuição dos valores da rentabilidade das vendas.

Comparação de indicadores: Além da verificação da variação dos indicadores do alvo, uma outra análise que deve ser feita é a comparação com indicadores seme-lhantes da própria empresa ou de outras empresas, com valores históricos, com valores teóricos mínimos e outros. Isto é chamado *benchmarking* e faz parte da Análise Funcional.

Certa feita estava na Colômbia visitando uma empresa cujo Presidente desejava fazer um trabalho de consultoria conosco visando à melhoria de resultados operacionais. Na discussão com Diretores e Gerentes notei uma grande resistência do pessoal que achava que "não tinha problemas" e que "a fábrica já estava dando o que podia". Estou acostumado com este tipo de coisa que também era comum no Brasil uns 15 a 20 anos atrás e esta-va calmamente argumentando com o pessoal para, pelo menos, fazerem um diagnóstico. Não estava tendo sucesso até que o Diretor Financeiro apareceu com um gráfico que, simplesmente, desmontou toda a resistên-cia. Era um gráfico semelhante à Figura 6.3, onde era mostrada a imensa diferença do valor da Margem de EBITDA da empresa quando comparada com outras empresas na própria Colômbia e em outros países, inclusive o Brasil. Ora, se havia margem de ganhos na Margem de EBITDA, era sinal de que certamente haveria outras possibilidades de ganhos em toda a área operacional da empresa. O resultado foi que trabalhamos naquela empresa por muitos anos com excelentes resultados. O gráfico certo na hora certa!

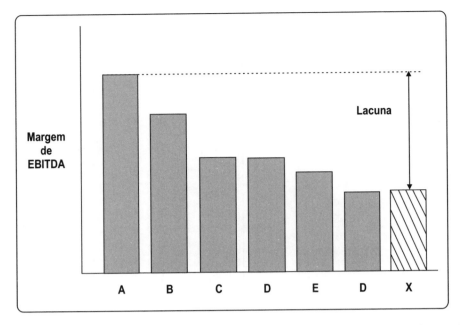

Figura 6.3: Modelo mostrando a comparação dos indicadores de Margem de EBITDA entre a empresa X e outras empresas mundiais.

A comparação de indicadores ajuda a localizar as oportunidades de ganhos e alerta as pessoas da empresa de que existe "espaço de manobra".

Conhecimento do Histórico do Problema: Finalmente devemos fazer um gráfico do indicador do problema em função do tempo e saber de seu comportamento. Está piorando? Está melhorando? O problema já foi resolvido? Existem variações quanto às estações de clima do ano? Ao levantar estes dados também é conveniente levantar as oportunidades de ganhos, principalmente financeiros, associados à solução do problema.

Observando-se a Figura 6.1, verifica-se que, quando se tem o problema maior desdobrado em problemas menores e novos alvos estão sendo delineados, é importante fazer uma nova Análise Funcional específica para aquele novo alvo com novos indicadores que lhe são característicos.

Verificação da relação custo/benefício: Nas empresas a maioria dos problemas (ou metas) está ligada ao desempenho financeiro (descobri que na área pública não é diferente). Na Análise Funcional o conhecimento do retorno financeiro da solução do problema deve ser atualizado continuamente por meio de uma avaliação do impacto real desta solução no EBITDA da empresa. Isto deve ser sempre feito levando-se em conta as condições gerais da empresa. O ideal é que se tenha um modelo simulador do EBITDA que responda às alterações promovidas pela solução de problemas. Uma mudança repentina de mercado poderá fazer com que a solução do problema deixe de ser prioritária. No caso de governos geralmente os recursos financeiros são escassos para o que se deseja alcançar, principalmente nas áreas de educação, saúde e segurança. O desafio principal da análise na área pública é buscar soluções que sejam eficazes e de baixo custo e ter a capacidade de alocar estes recursos em função das necessidades públicas mais prementes. Na área pública, com as melhores intenções, por falta de análise, gasta-se muito recurso escasso em "programas" totalmente desconectados dos verdadeiros problemas da população. Isto também é verdade em algumas empresas.

Um bom conhecimento do problema facilita em muito o processo de análise. Invista tempo e discussão em sua Análise Funcional!

6.3 Análise do Fenômeno

A Análise do Fenômeno e a Análise Funcional são os tipos de análise mais importantes para a alta administração da organização e devem ser bem feitas e detalhadas para que a solução dos problemas da empresa seja mais precisa.

A Análise do Fenômeno tem como principal objetivo conhecer melhor as características do alvo relacionadas ao problema e, principalmente, como recomendou Descartes[3], dividi-lo em sistemas menores (Problemas Menores) para mais fácil solução. É comum ao analista iniciante se perder em análises de estruturas do alvo que nada têm a ver com o problema. Não se faz uma análise para "conhecimentos gerais" sobre o alvo. A análise tem que ser focada no problema e é por isto que se chama "Análise do Fenômeno" ou "Análise do Problema". Neste tipo de análise temos que responder às perguntas:

(a) Como é a estrutura formadora do problema?

(b) Como se organizam os fluxos dos processos formadores do problema?

Se o problema for relativo a "Custos" e fizermos um diagrama de árvore para analisá-lo, teremos um diagrama de árvore de custos! A Análise do Fenômeno consta essencialmente da desagregação de um problema complexo em outros menores, o que permite:

(a) A divisão do trabalho maior em partes com condições de melhor gerenciamento.

(b) O estabelecimento de prioridades entre os problemas menores.

(c) O entendimento da responsabilidade de cada indivíduo a quem foi alocada a solução de cada Problema Menor.

Neste tipo de análise dois conceitos são muito importantes: a **Estratificação** e a **Priorização**, como mostra a Figura 6.4.

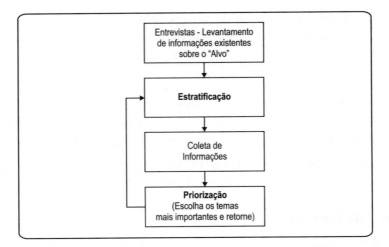

Figura 6.4: Modelo do Processo de Análise do Fenômeno.

A estratificação é uma atividade simples, mas que exige conhecimento técnico do problema para que possa ser bem feita. A estratificação tem como objetivo desagregar um problema e isto pode ser feito de duas maneiras, usando os modelos descritos no Apêndice:

(a) Análise Estrutural: Analisando as características verticais do alvo relacionadas ao problema.

(b) Análise do Fluxo dos Processos: Analisando as características horizontais do alvo relacionadas ao problema.

Não existe uma única forma certa para estratificar um problema. As duas abordagens acima podem ser utilizadas sozinhas ou em conjunto e com modelos diferentes, como relacionados no Apêndice.

Uma iniciativa, quase sempre esquecida, é que a primeira atividade nesta análise deve ser o levantamento de informações existentes sobre o problema dentro e fora da empresa. Uma das maneiras de levantar estas informações é entrevistar pessoas da organização, de outras organizações e técnicos especialistas. Estas entrevistas devem ser preparadas com antecedência para que se possa tirar o melhor proveito. Isto poderá facilitar e acelerar o trabalho de análise. Citam-se abaixo algumas recomendações básicas para a entrevista (nunca improvise!):

(a) A entrevista deve sempre ser marcada com o chefe do entrevistado.

(b) Prepare-se antes sobre o tema, estudando, entre outros, referências bibliográficas e internet. Se possível, visite o local do problema.

(c) Procure informações sobre seu entrevistado.

(d) Prepare com antecedência as três principais perguntas sobre o que você precisa saber.

(e) Não pergunte muito, fale pouco, escute e anote. A entrevista deve ser a mais rápida possível.

(f) Ao final da entrevista sempre pergunte se o entrevistado gostaria de comentar algo que você se esqueceu de perguntar sobre o assunto.

(g) Envie mensagem de agradecimento após a entrevista.

6.3.1 Estratificação - Análise Estrutural (características verticais)

Pode-se estratificar um alvo por tempo, local, tipo e sintoma, em função da necessidade de entendê-lo melhor:

(a) Tempo: por exemplo, antes/após a fusão, dia/noite, inverno/verão, dia de semana/fim de semana.

(b) Local: por exemplo, dentro/fora, unidade de negócio A/B/C, departamento A/B/C, Estado A/B/C, região A/B/C, acima/abaixo, esquerdo/direito, nacional/internacional.

(c) Tipo: por exemplo, negócio A/B/C, matéria-prima A/B/C, Cliente A/B/C, Canal de vendas A/B/C, Caminhão/vagão/caminhonete, Diesel/álcool, máquina A/B/C, Produto A/B/C.

(d) Sintoma: por exemplo, negócios rentáveis/não rentáveis, Reclamações por Defeito/Atraso, *turnover* de pessoal por salário/relação com supervisão/condições de trabalho, notas fiscais com lucro/notas fiscais com prejuízo, claro/escuro, seco/úmido.

Por exemplo (veja a Figura 6.5), suponha que o problema identificado seja "Custo Elevado" e a meta seja: "Reduzir os custos em R 300 milhões até o final do ano". Neste caso o Alvo é a organização toda. O problema, assim colocado, é muito complexo e é necessário dividi-lo em problemas menores com características distintas (estratificação). A questão que se coloca na estratificação é: "*Como dividir o problema?*" (ou, "*como fazer a análise estrutural?*"). Isto exige um razoável conhecimento da organização. Em cada nível da estratificação é possível que pessoas diferentes sejam chamadas para ajudar e que haja locais diferentes para visitar e constatar problemas para agregar o Conhecimento Técnico necessário.

Existem várias possibilidades de se estratificar um problema e é preciso que as pessoas que entendem do tema discutam a melhor maneira (veja o Apêndice para conhecer os modelos mais utilizados na estratificação). No caso dos "Custos Elevados", o problema pode ser aberto, por exemplo, em custos por tipo de negócio, custos por região, por tipo de custo. Numa primeira reunião, por exemplo, foi decidido abrir os custos da organização por tipo de custo, da maneira indicada no Diagrama de Árvore mostrado na Figura 6.5.

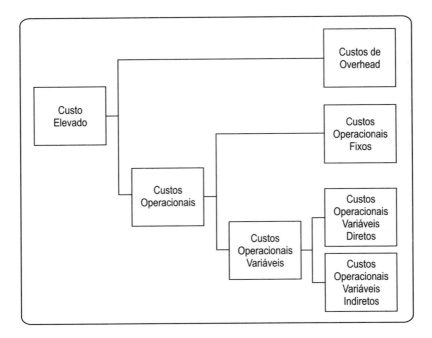

Figura 6.5: Diagrama da estratificação inicial dos custos da organização.

Esta estratificação dividiu o problema maior, "Custos Elevados", em quatro problemas de tamanho menor mas, talvez, ainda não suficientemente pequenos para que possam ser atacados de forma eficiente e nova estratificação de cada um deles poderá ser necessária. Cada uma das quatro novas estratificações é uma tarefa à parte e é possível que outras pessoas sejam convocadas para agregar conhecimento.

Uma vez que se tem esta estratificação inicial, pergunta-se: *"Conhecemos os números relativos aos custos mostrados na figura?", "Qual a nossa lacuna de informação nesta etapa?".* Se os custos indicados na Figura 6.5 não forem conhecidos, teremos que coletar estas informações de tal forma que seja possível priorizar como mostrado na Figura 6.6.

A Figura 6.6 mostra que neste início da análise já adquirimos o conhecimento de que, se quisermos reduzir R 300 milhões nos custos desta organização em particular, teremos que atacar frontalmente os "Custos Operacionais Variáveis Diretos" (nossa prioridade) pois a contribuição dos outros tipos de custo, por seu tamanho, será pequena diante da meta. Teríamos, então, que estratificar mais uma vez cada um dos quatro tipos de custo, especialmente os "Custos Operacionais Variáveis Diretos" de forma a prosseguir na Análise do Fenômeno e assim por diante até que se tenham problemas já de tamanho razoável para que possam ser resolvidos.

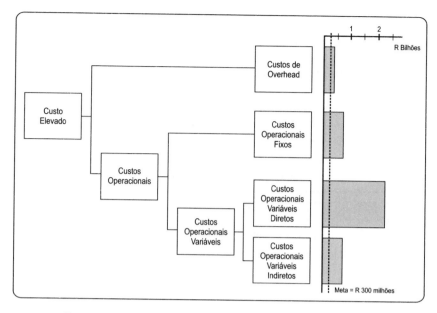

Figura 6.6: Estratificação inicial de custos e priorização.

Este processo de divisão do problema grande em problemas menores é um desdobramento de metas e é a base do Gerenciamento pelas Diretrizes[7]. Pode-se fazer este desdobramento até chegar a problemas pequenos somente do ponto de vista qualitativo sem que se estabeleçam metas, deixando este procedimento para o final. Uma outra maneira, um pouco mais demorada, seria ir calculando as lacunas em cada desdobramento e estabelecendo as metas, sempre tomando o cuidado de garantir que a soma das metas desdobradas seja igual ou superior à meta inicial. Com o tempo este desdobramento é feito de forma muito rápida pois cada gerente já tem suas lacunas previamente calculadas.

Já assisti a casos em que a simples divisão dos problemas grandes em problemas menores leva as pessoas à solução dos problemas sem que seja necessário fazer a Análise de Processo.

Quando os problemas chegam a um tamanho menor, a sua solução é, em alguns casos, óbvia. No entanto, à medida em que a organização avança, estas soluções óbvias desaparecem e as Análises do Fenômeno e de Processo se tornam cada vez mais necessárias e sofisticadas pelo uso de modelos mais complexos, sendo alguns citados no Apêndice.

6.3.2 Estratificação - Análise do Fluxo dos Processos (características horizontais)

No item anterior o alvo foi analisado por suas características verticais. A estratificação pode, em certos casos, ser mais bem obtida pela análise das características horizontais de um problema por meio do entendimento de como se organizam os processos. Podem, então, ser analisados a cadeia de valores agregados, os processos de suporte à cadeia e os processos administrativos, caso estes afetem o problema. Nesta análise é também importante localizar e dimensionar os estoques de forma a se ter uma idéia do nível de gerenciamento praticado e dos problemas existentes decorrentes do gerenciamento ineficiente dos processos. A Figura 6.7 mostra um esquema muito simplificado de uma análise estrutural horizontal.

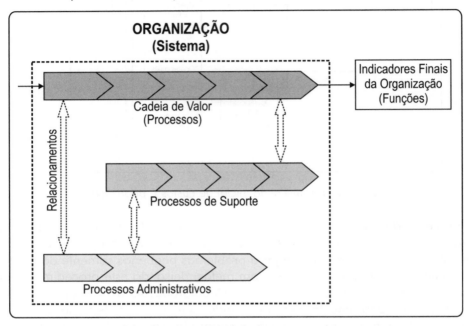

Figura 6.7: Modelo do Mapa Geral dos processos de uma organização.

Tendo como finalidade ilustrar este tipo de análise horizontal, a Figura 6.8 mostra um resumo muito simplificado de uma análise horizontal do subsistema de repressão do sistema de segurança de um Estado brasileiro conduzida por consultores do INDG. Nesta figura observa-se o macrofluxograma do subsistema de repressão, seus estoques e seu gargalo (subsistema prisional). Sempre que houver estoques existem deficiências no processo.

Figura 6.8: Exemplo de uma análise horizontal.

Quando fazemos uma análise das características horizontais, estamos lidando com processos e isto poderá confundir com Análise de Processo, mas não é. Na Análise de Processo estamos procurando o relacionamento de fatores causais com o problema (como x afeta y). Este não é o caso da Análise do Fluxo dos Processos. Aqui só procuramos conhecer melhor o problema, a maneira como ele ocorre, como o fluxo do processo afeta o problema, que outros problemas menores existem ao longo do processo, a priorização na sua solução, etc.

A fase final da Análise de Fenômeno consiste em listar os Problemas Menores prioritários (desdobrados do inicial), colocar metas em cada um de forma que a soma dos resultados de todos garanta o alcance da meta maior (R 300 milhões no caso do exemplo) e atribuir responsabilidades (nome do dono e meta) a cada um.

A Análise de Processo, na fase seguinte, será conduzida para cada um destes problemas menores. A experiência acumulada na solução de problemas nos mostrou que, quanto mais tempo se gasta na Análise de Fenômeno, mais precisa e menos trabalhosa será a fase de Análise de Processo. Para a Alta Administração a Análise de Fenômeno é mais importante do que a Análise de Processo já que os problemas menores não serão resolvidos por Diretores. **É essencial que os grandes problemas da organização sejam desagregados em problemas menores de forma racional e dedutiva, de forma que possam ser resolvidos dentro do escopo do Gerenciamento da Rotina.**

Para a alta administração é importante:

(a) Garantir um bom desdobramento de suas metas (ou problemas) baseado em análise de fatos e dados (informações) e de forma estruturada (utilizando os modelos disponíveis).

(b) Garantir que as pessoas de sua organização dominem os métodos de análise e solicitar a apresentação da análise em que se baseiam os planos de ação apresentados em suas reuniões.

(c) Garantir a execução das ações. Uma vez que haja metas bem estabelecidas e desdobradas, o método garante que elas serão atingidas.

(d) Investir em uma boa base eletrônica de informações (banco de dados) que possa ser utilizada em análise e propicie tempos mais reduzidos de solução de problemas (alcance de metas) no futuro.

(e) Educar algumas pessoas com uma excelente formação no método de solução de problemas e em estatística (Black Belts). Isto só deve ser feito no momento adequado (depois que sua empresa tiver um bom Gerenciamento da Rotina e um bom Gerenciamento pelas Diretrizes).

6.4 Análise de Processo

O leitor preferencial deste texto é o Diretor e o Gerente de organizações. Este livro foi preparado para os líderes, a quem compete a formação de equipes como já foi mencionado anteriormente. A Análise de Processo geralmente é feita por outras pessoas, pois trata-se de praticá-la em centenas de Problemas Menores desdobrados das metas maiores da organização. Ela é geralmente praticada dentro do escopo do Gerenciamento da Rotina. Portanto, os líderes devem aprender pelo menos os procedimentos básicos de análise para saber o que pode ser feito e exigir trabalho bem feito (é obvio que no futuro os líderes também serão experientes em análise de processo!).

A Análise de Processo é um procedimento técnico e pode envolver, por exemplo, estatística, softwares especializados, computadores, manuseio de base de dados, modelamento matemático e simulação de sistemas e é feita para cada problema menor decorrente do desdobramento realizado na fase de Análise de Fenômeno por várias pessoas da organização. Para cada um destes Problemas Menores deve ser estabelecido um novo "Alvo" sobre o qual pode ser conduzida uma Análise Funcional específica, a Análise de Fenômeno específica e a Análise de Processo.

O objetivo da Análise de Processo é estabelecer uma relação entre o problema (y, variável dependente) e suas causas (x_i, variáveis independentes). Esta relação entre a variável dependente e as variáveis independentes pode ser estabelecida em vários níveis:

(a) Geralmente a única coisa que se deseja é saber a causa (x) (por exemplo: queimou o motor devido ao acúmulo de poeira no recinto).

(b) Pode-se também desejar conhecer mais causas (x) e quanto cada uma influencia o efeito (y) para que se possam estabelecer prioridades (por exemplo: queremos aumentar as vendas, temos várias iniciativas propostas. Qual a ordem de ataque?).

(c) Caso necessário, também é possível saber se existe efeito combinado de uma das causas (por exemplo: na composição de uma ração animal o efeito de um nutriente sobre a taxa de engorda do animal pode ser potencializado por um segundo nutriente que, sozinho, não faria aquele efeito);

(d) Finalmente, sonho de todo analista, pode-se eventualmente obter um modelo matemático do alvo, estabelecendo-se relações lineares ou estocásticas entre y e x_i . Isto permite a otimização e maior domínio do sistema alvo.

6.4.1 Tipos de Solução de Problemas

Tendo em vista a característica dos indicadores organizacionais e seu comportamento variável, existem três tipos básicos de Análise de Processo, dependendo do tipo de problema:

(a) Problemas de dispersão devido a causas comuns.

(b) Problemas de dispersão devido a causas especiais.

(c) Problemas estabelecidos por desvio do valor da média.

Esta identificação do tipo de problema é muito importante para indicar caminhos na análise de processo. A identificação do tipo de problema é feita na Análise Funcional específica do Problema Menor que se quer resolver. Esta análise funcional específica é uma análise de variabilidade e, nesta análise, podem-se utilizar os modelos de carta de controle e histograma.

A explicação desta análise para indicar o tipo de problema será feita por meio de um exemplo. Vamos supor que o Problema Grande de uma empresa é *"Elevado custo de produção"*. Este Problema Grande é desdobrado em vários Problemas Menores, como vimos anteriormente. Analisemos então um dos Problemas Menores que é: *"perdas de produção de garrafas do tipo W por diâmetro fora das especificações"*. Vamos analisar as três condições possíveis.

Condição A - Problema de dispersão devido a causas comuns (Neste caso o sistema não cumpre com as funções para as quais foi projetado e precisa ser reajustado).

Na Análise Funcional mostrada na Figura 6.9, a média está dentro das especificações, mas existe uma dispersão dos valores do diâmetro da garrafa (y), fazendo com que boa parte da produção resulte em garrafas fora das especificações. Quando o problema y varia muito, é uma indicação de que as causas também variam muito. A experiência indica que, em situações como esta, geralmente as causas são:

• Inexistência de faixas de especificações para os indicadores operacionais ou faixas mal definidas (abertas demais).

• Falta de padrões, treinamento ou supervisão do cumprimento dos padrões.

Em suma, problemas devido a grande dispersão estão, em sua grande maioria, ligados ao Gerenciamento da Rotina.

Condição B - Problema de dispersão devido a causas especiais (Neste caso o sistema cumpre com as funções para as quais foi projetado mas esporadicamente existe a perda de função.)

A Análise Funcional mostrada na Figura 6.10 indica que o problema acontece pela presença de causas especiais que ocorrem esporadicamente e precisam ser evitadas. Neste caso, o que deve ser feito é identificar estas causas, uma a uma, estabelecendo mecanismos *fool-proof* de tal forma que nunca mais voltem a ocorrer e o sistema vai ficando cada vez mais robusto, produzindo cada vez menos defeitos.

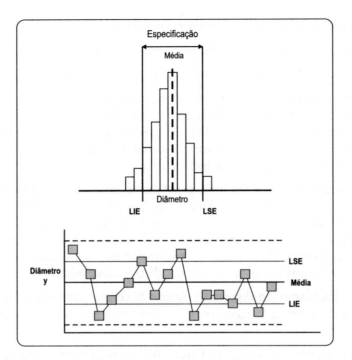

Figura 6.9: Análise Funcional de variabilidade de y (diâmetro da garrafa). (LSE = Limite superior de especificação; LIE - Limite inferior de especificação).

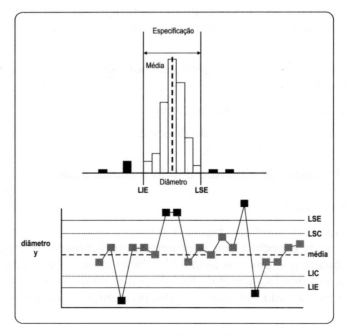

Figura 6.10: Análise Funcional de variabilidade de y (diâmetro da garrafa). (LSC = Limite superior de controle; LIC = Limite inferior de controle).

Condição C - Problema estabelecido por desvio do valor da média (Neste caso o sistema cumpre com as funções para as quais foi projetado, mas existe a perda de função por desajuste de *set up* de um ou mais dos fatores).

A Figura 6.11 mostra que o diâmetro da garrafa (y) está com a média deslocada. Neste caso, y só terá a média deslocada se a causa x também tiver, acreditando-se que as especificações de x são dadas de tal forma que y fique dentro da faixa. Assim, temos outra excelente indicação de procurarmos dentro do sistema os fatores que podem afetar o diâmetro das garrafas, variáveis x que afetam y e que estão com o *set up* errado.

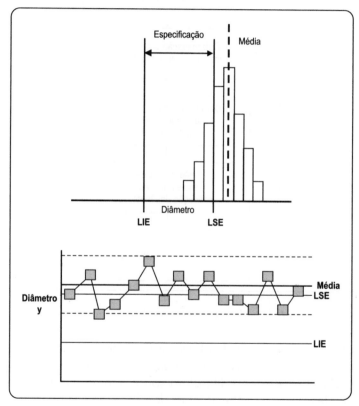

Figura 6.11: Análise Funcional da variabilidade de y (diâmetro da garrafa).

A experiência mostra que em caso de dispersão baixa como este mostrado na Figura 6.11 (portanto o Gerenciamento da Rotina está bom) o mais provável é que se tenha uma especificação errada. A causa mais provável é:

• *set up* incorreto para parâmetros operacionais.

Neste caso a Análise de Regressão e o Planejamento de Experimentos são os recursos ideais para definir o *set up* ideal em cada caso.

Concluindo, a Figura 6.12 mostra a sequência geral seguida na prática da Análise do Processo.

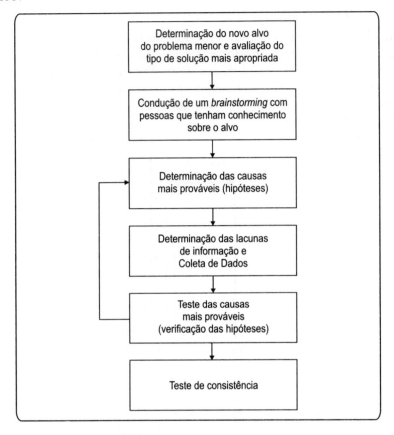

Figura 6.12: Método Geral de Análise de Processo.

Neste texto não entraremos em detalhes (procedimentos) da Análise de Processo para não fugir ao escopo do texto, que é explicar o método do ponto de vista da alta administração. Existe extensa literatura sobre o tema. No entanto, alguns pontos são importantes para o conhecimento da alta administração e serão detalhados a seguir.

6.4.2 "Brainstorming"

O importante a ser enfatizado no *brainstorming* é que este é uma das etapas onde conhecimento deve ser agregado à organização. Um *brainstorming* mal feito pode levar à não solução do problema ou a um trabalho excessivo de levantar informações sobre fatores que são inócuos. Considerações importantes do *brainstorming*:

(a) A convocação dos participantes é a etapa mais importante. Não se convocam pessoas e sim conhecimento.

(b) Como estamos convocando conhecimento, teremos que ter pessoas de diferentes posições no organograma, desde que o conhecimento de cada um seja necessário.

(c) Será cada vez mais comum ter pessoas de fora da empresa nos grupos de *brainstorming,* pois esta é uma oportunidade de absorver, de forma organizada, o seu conhecimento.

(d) A quantidade de conhecimento extraída será tão maior quanto mais hábil for o condutor da reunião em dar a chance a todos de expressarem o seu conhecimento. Como existem pessoas que são inibidas por natureza, é necessário provocar cada um para que seu conhecimento possa ser extraído.

Num *brainstorming* estamos procurando eventuais causas dos resultados do sistema (ou alvo). Quando levantamos estas informações, estamos, em linguagem matemática, procurando relacionar variáveis independentes com a variável dependente origem do problema. A Figura 6.13, modelo de um Diagrama de Ishikawa, mostra este relacionamento.

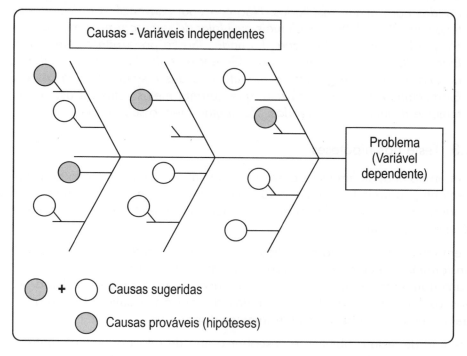

Figura 6.13: O Modelo de Diagrama de Ishikawa (ou Diagrama de Causa e Efeito) mostra a relação de variáveis.

O ideal de quem trabalha esta relação de variáveis é encontrar um modelo matemático que descreva o alvo ao relacionar as variáveis em equações. Este tema é tratado no Apêndice.

Ulrich et alii[16] descrevem a prática do *Work-Out*, método conduzido na GE nos anos iniciais da gestão do Jack Welch. Este método nada mais é do que sessões de *brainstorming*, das quais já se sai com planos de ação prontos e que devem ser executados de forma muito rápida. O método é muito bom para uma organização que nunca teve como prática extrair conhecimento das pessoas de forma organizada e vale por um certo tempo, enquanto este conhecimento é transformado em resultados. Depois deste tempo inicial a organização deve procurar outros recursos para agregar conhecimento. Foi o que a GE fez logo em seguida, formando mais de 60.000 Green e Black Belts (especialistas em análise da informação e solução de problemas, utilizando os recursos da estatística).

> *É necessário estar consciente de que cada organização tem sua história e seu estágio de avanço nos métodos de gestão. Certa feita o Presidente de uma empresa me pediu ajuda para melhorar o seu sistema de gestão. Logo no início seu Diretor de Operações pediu que fosse desenvolvido um programa de formação de Black Belts. Eu lhe expliquei que ainda não era o momento para sua empresa e que tínhamos recursos mais simples e rápidos para atingir resultados. Não consegui convencê-lo e decidiu que teria seus Black Belts. Nunca mais ouvi falar de seu programa, mas sei que ele perdeu várias das pessoas formadas. Só se pode pensar em formar Black Belts quando se tem um bom Gerenciamento da Rotina do Trabalho do Dia a Dia[5] que garanta a manutenção dos resultados atingidos e o Gerenciamento pelas Diretrizes[7] que garanta metas estratégicas, consistentes e desafiantes para todos. Cada etapa tem o seu próprio tempo.*

6.4.3 Teste das hipóteses

É comum ao final de uma seção de *brainstorming* já se ter a solução do problema. No entanto, como já foi mencionado antes, isto acontece cada vez mais raramente à medida que se progride. Será então necessário verificar, estatisticamente, as hipóteses levantadas.

Existem muitos recursos da estatística para testar as hipóteses como levantadas no *brainstorming* (ou então como produto de intuição das pessoas, como mencionado anteriormente) e verificar a sua correlação com o problema. Uma vez que temos as hipóteses formuladas e dados disponíveis e suficientes para o teste, podemos escolher entre várias ferramentas disponíveis.

Neste tipo de teste o objetivo é descobrir o tipo de relação existente entre o problema y (a variável dependente) e a causa provável x (hipótese ou variável independente), como mostrado na Figura 6.14. Se o analista for bem-sucedido nesta etapa, o problema estará resolvido. A Figura 6.14 mostra, de forma esquematizada e simples, uma avaliação de correlação que pode ser feita.

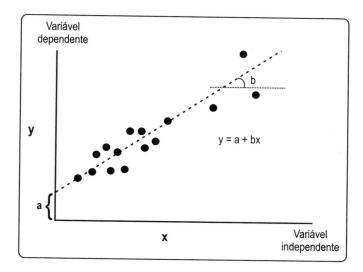

Figura 6.14: Modelo de Gráfico mostrando a correlação entre o problema y e a hipótese x.

O relacionamento entre a variável dependente e as variáveis independentes do sistema em estudo (alvo) na maioria das vezes não é óbvia e terá que ser pesquisada por meio de fatos e dados. Uma dificuldade que se apresenta é saber se existem dados históricos suficientes para que a análise seja feita como mostra a Figura 6.15. Caso haja base de dados suficiente, a Análise Multivariada pode ser utilizada e o tempo de solução de problemas é muito reduzido.

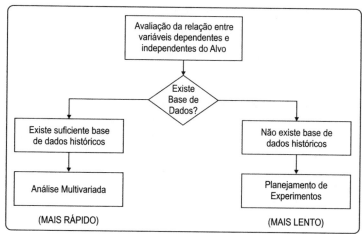

Figura 6.15: Modelo mostrando a decisão entre o ferramental de estatística disponível.

A Toyota[15] acumula dados do passado para toda a empresa de maneira sistemática, estratificados e em formato eletrônico. A partir deste banco de dados seus técnicos utilizam a análise multivariada em computadores por meio de softwares da estatística para alcançar a solução dos problemas. Desta maneira conseguem resolver a maioria dos problemas em duas semanas, tempo que seria impossível de alcançar se fosse utilizado o Projeto de Experimentos para levantar as informações necessárias.

É interessante observar que a Toyota[15] tem gastado cinco vezes mais do que outras empresas para coletar e estocar dados, resultando que quase todos os seus problemas podem agora ser resolvidos pela utilização de dados do passado. A Toyota[15] tem 700 especialistas em estatística em nível de Ph.D. e isto permite à empresa atender todas as suas frentes operacionais desde o projeto de produto até vendas com análise de informações.

Não existindo o banco de dados, estes devem ser gerados, o que sempre provoca custos para conduzir os testes. Para situações como esta a ferramenta da estatística "Planejamento de Experimentos" tem como objetivo projetar um número mínimo de experimentos (para menor custo), mantendo a confiabilidade dos resultados de correlação. No entanto, o tempo de Análise de Processo será mais longo. Este é o caso dos projetos de Pesquisa e Desenvolvimento bem como de todas as áreas em que seja necessário conduzir testes ainda inéditos, como na área de marketing, por exemplo.

Análise Multivariada: É um método para analisar múltiplas relações de causa e efeito dentro de uma grande massa de dados. Nesta nova era da informação que estamos vivendo, esta é uma ferramenta ideal para tratar dados estocados na forma de linhas e colunas, dando um significado para uma massa disforme de informações. Este recurso da estatística pode ser usado, por exemplo, para:

(a) Pesquisa de mercado e comportamento no consumo.

(b) Controle da Qualidade e Sistemas de Qualidade Assegurada.

(c) Otimização e Controle de Processos.

Planejamento de Experimentos: quando não se dispõe de informações referentes às variáveis em jogo, será necessário conduzir experimentos para levantar estas informações. Este recurso permite que se projete um número mínimo de experimentos (menor custo e tempo) mas ainda assim produzindo informações com significado estatístico. Num ambiente empresarial, onde experiências custam caro e podem interromper processos, o projeto de experimentos é muito importante. Ele pode ajudar a responder certos tipos de perguntas, como nos exemplos seguintes nas áreas de produção e vendas:

(a) Precisamos aumentar as vendas. Tenho oito tipos de brindes. Que tipo de brinde devo entregar a meu revendedor de maneira a produzir os melhores resultados. Qual o brinde de melhor relação custo/benefício? Entrego só um tipo de cada vez ou existem certos tipos de brindes que, combinados, fazem mais efeito?

(b) Fabrico ração para animais e devo adicionar alguns nutrientes para melhorar a engorda. Tenho seis tipos de nutrientes. Quais devo usar? Qual a melhor proporção entre eles?

Esta experimentação planejada pode ser conduzida nas linhas de produção, em plantas piloto ou em laboratório.

6.5 O valor da Experiência em Análise

A prática da análise é como jogar tênis, a pessoa vai ficando cada vez melhor à medida que pratica, dominando cada vez mais recursos, modelos e estatística. Reparei que, a cada novo recurso que é usado, a pessoa vai ganhando confiança e sensibilidade da ocasião de utilizar cada um (existem modelos exclusivos para a Análise de Fenômeno, outros exclusivos para a Análise de Processo e outros que podem ser usados em ambas as análises). Uma outra coisa que vai também ficando claro é que o analista tem que ser organizado, trazendo todos os seus gráficos atualizados a cada momento da análise, de forma a saber se existe a necessidade de mais informações ou se o que já tem é suficiente para as conclusões finais. A Figura 6.16 mostra este efeito da prática de análise na duração dos projetos da Suzano Papel e Celulose (gráficos gentilmente cedidos).

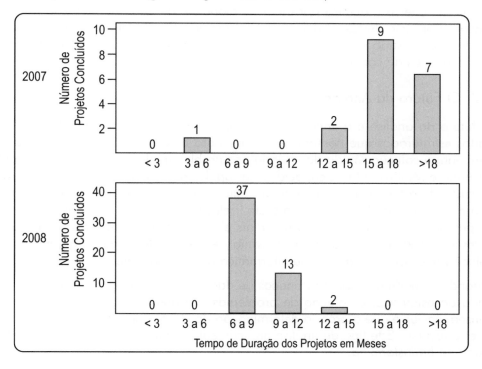

Figura 6.16: Tempo de duração dos projetos à medida que a experiência gerencial e a experiência em análise aumentam (gráficos gentilmente cedidos pela Suzano Papel e Celulose).

A experiência e o domínio do método são fundamentais para acelerar a prática da análise. Na Toyota[15] leva-se, em média, 15 dias para solucionar um problema. Isto acontece naquela empresa não só pela experiência e preparo dos analistas (700 técnicos em nível de Ph.D. em estatística) mas também porque a empresa se preparou (base de dados) para isto. Os números da Figura 6.16 são interessantes e mostram bem este fenômeno, muito embora estes números possam estar contaminados por uma melhoria simultânea do gerenciamento dos projetos.

O líder (Diretor ou Gerente) deve promover sessões internas para que os analistas apresentem suas análises, de forma a difundir as mais diversas abordagens que surgem. Isto equivale a um treinamento imperdível para todos.

6.6 Projeto de Coleta de Fatos e Dados

Durante as fases de Análise de Fenômeno e de Análise de Processo, a cada passo são usados modelos como descritos no Apêndice. A cada recurso que se usa vai-se construindo um modelo de entendimento do alvo, que pode suscitar novas necessidades de informações. Portanto, o processo analítico conduz à busca de mais informações e não é possível ter, no início das análises, todo o projeto de busca de informações já pronto. O processo de análise é interativo entre a busca de informações e a análise por meio de modelos. A cada interpretação de informações por meio destes modelos especializados, novo projeto de coleta de dados pode ser necessário e, portanto, é possível que cada novo recurso utilizado suscite novas lacunas de conhecimento.

6.7 O Futuro da Análise

O futuro da análise é a linha adotada hoje pela Toyota[15]: adoção de banco de dados estruturados que possam ser usados para a coleta de dados históricos que permitam a solução rápida da maioria dos problemas da empresa pela utilização da Análise Multivariada. A capacidade e rapidez dos computadores aumentaram. O custo de estocagem de informação caiu muito e hoje é possível estocar uma quantidade infinita de dados a um custo irrelevante diante da utilidade de seu uso. As pessoas que tomam decisão nos mais elevados níveis gerenciais se educaram antes de 1995 e não conseguem avaliar, em sua totalidade, a gigantesca revolução que ocorreu na área de informática a partir daquele ano.

Quando se podem utilizar tais bancos de dados com recursos da Análise Multivariada da estatística, a solução de problemas fica quase automatizada. Uma das consequências é que a própria determinação do "Alvo" poderá ser feita utilizando-se este recurso. Este tipo de análise praticamente elimina ou simplifica em muito a etapa de *brainstorming*.

Recomendo a meus leitores, Diretores e Gerentes de organizações, que sigam o exemplo da Toyota em benefício de sua organização.

7 Como Envolver Pessoas na Análise

"Quem não se comunica se trumbica"
Abelardo Barbosa, o "Chacrinha"

A prática de solução de problemas não é simples quando abordada sob o ponto de vista da organização das pessoas que devem participar. Assim como o processo de análise, que é a alma do método, requer a absorção de novos conhecimentos, a participação de pessoas é fundamental. No entanto, quando se fala em participação, sempre vem a pergunta: *"Como participar?"*

Uma das maiores dificuldades na análise é conseguir a contribuição das pessoas. Isto acontece por várias razões, cito algumas:

(a) O analista não tem autoridade para convocar as pessoas.

(b) As pessoas não têm interesse próprio naquele problema em questão (não é meta delas!).

(c) Quando concordam em participar é uma dificuldade juntá-las todas numa só data, hora e num só local (algumas faltam ou mandam "representantes").

(d) Quando todos estão juntos, é uma dificuldade entenderem o estágio em que está a análise (o analista não consegue comunicar!).

Parece que estes problemas são comuns em todo o mundo. Clark[2] propõe uma abordagem para as análises conduzidas na CIA - Central Intelligence Agency, que me parece muito adequada para as empresas: a "Abordagem Centrada no Alvo".

7.1 Abordagem Centrada no "Alvo"

A Abordagem Centrada no Alvo, como proposta por Clark[2], consiste em fazer todas as partes interessadas na solução do problema participarem do processo de análise de forma organizada. Muitas vezes até o Presidente da empresa pode se tornar uma "parte interessada" e deve participar das reuniões programadas. A proposta de abordagem centrada no Alvo está resumida na Figura 7.1.

O objetivo principal neste tipo de abordagem é criar uma rede de pessoas que possam colaborar na solução do problema, construindo um quadro cada vez mais preciso do Alvo.

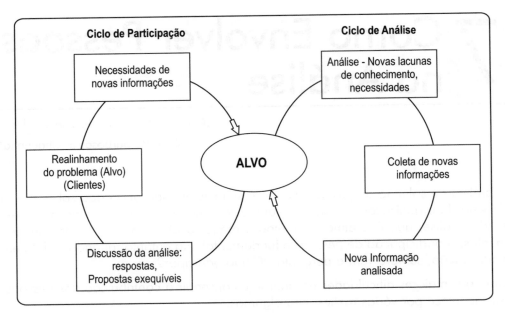

Figura 7.1: Modelo da abordagem de análise centrada no alvo[3].

O dono do problema a ser resolvido não é, necessariamente, o analista. Quem convoca as pessoas que devem participar é o dono da meta (ou mesmo seu chefe), orientado pelo analista quanto às necessidades de conhecimento. Várias reuniões poderão ser conduzidas ao longo do período de análise. Estas reuniões terão dois objetivos:

(a) Atualizar os participantes quanto ao estado atual de conhecimento sobre o Alvo resultante do processo de análise, o status das pendências, seus resultados e dificuldades (neste ponto o processo de comunicação pode ser limitante!). Fornecer sugestões de ações exequíveis que já foram percebidas no processo de análise.

(b) Rediscutir com os participantes o processo de análise, o contorno do Alvo e receber dos participantes novas idéias e necessidades de novas informações e novas análises.

Existem dois tipos de participantes no "grupo de solução de problemas": os que participam do Ciclo de Análise (conduzem a análise, coleta de dados e preparam a comunicação) e os que pertencem ao Ciclo de Participação (aportam conhecimento esporadicamente, ajudando no delineamento do alvo e na demanda de novas informações (fatos e dados)). Para que haja bom desempenho deste "grupo", a comunicação entre eles é fundamental e trataremos disto mais tarde neste capítulo.

Este fato já foi mencionado antes, mas é sempre bom lembrar: nem todo problema demanda a formação de grupos para resolver por sua simplicidade. Alguns, como foi mencionado, podem ser resolvidos com uma simples ordem. No entanto, à medida que uma empresa avança, estes problemas simples vão se tornando raros e será necessário "chumbo mais grosso". Neste caso, a formação de grupos será necessária. Ademais, ao longo do tempo, os problemas interdepartamentais vão se tornando mais frequentes e nestes, sem dúvidas, a formação de grupos (talvez os próprios Comitês Interdepartamentais) é necessária. A introdução do Gerenciamento Funcional poderá aumentar em muito a solução de problemas interdepartamentais (ver item 4.6), demandando a abordagem centrada no alvo.

No tipo de solução proposto na Figura 7.1, abordagem centrada no alvo, o analista terá a função de técnico, de gerente e de comunicador. Este tipo de abordagem mantém todos informados sobre o problema durante a sua solução e a implementação das ações, além de mais rápida, será mais facilitada pois não é o analista quem, necessariamente, implementa as ações.

Finalmente, esta participação organizada de todos é uma constante aula de métodos de análise em que as outras pessoas da organização acabam entendendo a sua utilidade e valorizando cada vez mais. Esta participação organizada das "partes interessadas" tem dois aspectos positivos além dos já mencionados:

(a) Excesso de Informações: Como nos dias de hoje existe excesso de informações de várias fontes, os participantes, ao delimitar o alvo a cada ciclo, estarão também delimitando a quantidade de informações a serem coletadas, barateando e agilizando a solução do problema.

(b) Demanda por detalhes: Quando existe a participação e todos conhecem as dificuldades que estão sendo encontradas, as partes ficam menos exigentes com aspectos que são dispensáveis e se concentram naquilo que é essencial.

Nunca é demais repetir (ver o item relativo a *brainstorming*) que a escolha das pessoas que devem participar dos grupos deve ser bem cuidadosa e levar em conta a necessidade de aportar conhecimento técnico e operacional (quem vai implementar as ações é que pode dizer o que é exequível ou não). Outro fato é que o grupo de pessoas não é necessariamente fixo e novos elementos podem ser incorporados na medida da necessidade. Lembrem-se, estamos incorporando conhecimento e não pessoas!

7.2 Uma Boa Apresentação: A Diferença entre Vitória e Fracasso

A maneira de trabalhar os problemas gerenciais, proposta na Figura 7.1, depende muito de que a equipe do Ciclo de Análise saiba comunicar seu trabalho às outras pessoas que participam esporadicamente mas que são importantes por agregar conhecimento técnico, direcionando os trabalhos de análise. Este é o ponto crítico, pois somos todos comunicadores amadores e cometemos erros primários!

A comunicação de idéias nas organizações é geralmente um desastre!

Lembro-me que certa feita um grupo de consultores estava trabalhando num projeto, para um governo estadual, patrocinado por empresários. Logo após uma primeira reunião de acompanhamento, da qual não participei, um dos empresários me telefonou à noite, preocupado com o andamento do projeto pois, segundo ele, "nada estava acontecendo". Eu falei com ele que tinha notícias de que o projeto estava indo muito bem, com excelentes resultados, mas ele ficou nitidamente impaciente. No dia seguinte fui logo ver o que estava acontecendo: realmente, estávamos obtendo resultados fantásticos, não somente em receita como também em despesas e controle de projetos do governo. Só não estávamos sabendo comunicar!

Procurei ajuda com amigos, que me indicaram a obra de Minto[18]. Treinamos nossos consultores (os consultores resistiram no início!) em técnicas de apresentação e comunicação, tudo isto em menos de duas semanas. Resultado: fizemos a apresentação do mesmo conteúdo, mas de uma outra forma, e os resultados foram altamente elogiados, sendo que os empresários se animaram inclusive a financiar outros governadores para fazer o mesmo trabalho! Em várias oportunidades de minha vida cheguei à dramática conclusão de que a boa comunicação pode ser a diferença entre a vitória e o fracasso.

Tenho tido outras experiências assistindo a apresentações de diretores, gerentes e consultores nas reuniões de Conselho de empresas. É raro assistir a uma apresentação que agrade.

Outro dia apareceram alguns consultores numa reunião do Conselho de uma empresa e eu perguntei: "Companheiro, quantos slides você tem para nos mostrar?" Ele respondeu: "132". Virei para o Presidente do Conselho e falei: "Eles vão precisar de seis horas para apresentar com seriedade o seu trabalho. Temos tempo para isto?". Foi um verdadeiro "corre-corre" na reunião! A solução foi postergar a apresentação para a parte da tarde para que eles tivessem tempo de preparar uma outra apresentação que coubesse no tempo alocado na agenda. Coisas assim são desgastantes.

Ora, cada slide de conteúdo toma em média 3 minutos para ser apresentado, entendido e discutido. Esta é a regra número um de uma boa apresentação!

Minto[18] apresenta a idéia de que uma apresentação de qualquer coisa deve ter um roteiro. É igual a um filme ou peça de teatro. O roteiro deve capturar o interesse da platéia logo de cara e "prender" a mente das pessoas num processo mental de perguntas e respostas inconscientes, mas que os especialistas em comunicação conhecem.

Quem quiser entender melhor a importância da comunicação nas organizações deveria se inteirar da obra de Bill Lane[19], que foi redator dos discursos de Jack Welch por 20 anos e ensinava comunicação aos executivos da GE no Centro de

Treinamento de Crotonville. Lane[19] menciona que um dos fatores fortes de avaliação de executivos da GE é a sua capacidade de comunicação. Ele lembra que o próprio Jack Welch fazia questão de assistir a apresentações de todos para que pudesse, ele mesmo, fazer o julgamento de seus executivos. Ele, inclusive, relata os comentários de Jack Welch após algumas apresentações. Alguns arrasadores!

Friga[20], ao descrever a forma de trabalhar da McKinsey, coloca a comunicação (sob todas as formas) como requisito número um das equipes de consultoria. Friga[20] vai ainda mais adiante ao afirmar que as apresentações devem começar a ser preparadas no primeiro dia de análise, pois isto ajuda o analista a entender melhor seu próprio trabalho. Isto é a maior verdade e todo professor sabe disto: aprende-se muito preparando uma aula e eu posso afirmar ao meu leitor que se aprende muito escrevendo um livro. A explicação que tenho hoje, após preparar milhares de aulas e escrever vários livros, é que me parece que o processo é de "organização mental" do tema.

O processo de comunicação é vital em organizações e inclui todas as formas, desde uma simples conversa (existem pessoas com imensa dificuldade de expressar uma idéia), até e-mails, mensagens na TV interna, apresentações formais, venda de um produto, etc. Nosso sistema educacional ensina tudo menos comunicação, necessidade tão vital em todas as formas de trabalho e lazer. Minto[18] cita o "teste do elevador": você encontra o Presidente da empresa no elevador e tem 30 segundos para passar sua mensagem. É agora ou nunca! Na verdade, existem testes ao longo de toda a vida. Tenho visto pessoas se revelarem ao Conselho de uma empresa por uma boa apresentação ("teste do Conselho", você tem 15 minutos para fazer sua apresentação! 5 slides de conteúdo!).

Finalmente cito alguns erros frequentes de apresentações a que tenho assistido:

1. Excesso de slides para o tempo disponível.

2. Excesso de informação no slide (é um erro colocar no slide o roteiro do que será falado como lembrete). Se quiser um lembrete, leve umas anotações mas não sobrecarregue os ouvintes.

3. Slide confuso, necessitando muita explicação por parte do apresentador. Um slide deve falar por si!

4. Letras pretas sobre azul ou vermelho (ignora-se que o comprimento de onda destas cores é próximo e isto dificulta a leitura!).

5. Tamanho da letra (é comum frase assim: "sei que não dá para ver, mas o que está escrito aí é o seguinte...").

6. O palestrante apresenta tudo o que fez (verdadeira ladainha...) e deixa o resultado para o final, exatamente ao contrário do recomendado. Resultado: coloca todo mundo para dormir!

7. Apresentação de filmes - O apresentador tenta mostrar um filme durante a apresentação sem ter testado antes. Meu testemunho é que em, pelo menos, 70% das vezes existe incompatibilidade de software ou hardware e os membros do Conselho ficam esperando de 15 a 30 minutos, até desistir. Vexame!

8 Como Conduzir as Melhorias na Organização

Custo é igual unha. Tem que cortar sempre!
Autor Desconhecido.

8.1 A Mudança é o Normal

Nós, seres humanos, somos avessos às mudanças. Sempre que saímos da rotina nos cansamos e nos estressamos. No entanto, estamos num mundo de mudanças contínuas e nossa própria vida é de um dinamismo às vezes assustador. Uma organização não é diferente. Ela vive num mundo de constante mudança e as pessoas devem estar preparadas para isto. A Figura 8.1 mostra a organização inserida em seu mundo. A organização é um sistema que deve se adaptar continuamente aos outros sistemas que também mudam em torno de si. O Governo emite novas leis e regulamentos, novas tecnologias são desenvolvidas, novos materiais aparecem, as matérias-primas mudam de preço relativo, o capital fica mais ou menos disponível, o mercado se torna mais exigente, etc. A organização que fica parada morre. O movimento de melhorias dentro da organização deve ser visto de forma adaptativa (quando apenas reage às mudanças em sua volta) ou agressiva (quando ela mesmo provoca estas mudanças e se antecipa). Meus leitores, Gerentes e Diretores, devem estar o tempo todo preparando a sua organização para que ela seja capaz de fazer estes movimentos de melhorias necessários à sua sobrevivência. Este livro trata exatamente destas condições.

A Figura 3.5 mostra o Sistema de Gestão. Reparem que a própria definição de sistema diz que "as suas partes sejam interligadas". Ora, o Gerenciamento pelas Diretrizes, que é a área do Sistema de Gestão onde ocorrem as melhorias anuais, está interligado com o Gerenciamento Estratégico, de onde recebe suas metas, e com o Gerenciamento da Rotina do Trabalho do Dia a Dia, para onde envia os novos procedimentos operacionais padrão, de forma que a operação da empresa seja estável no novo patamar. A conclusão que tiramos disto é que as melhorias ocorrerão na intensidade desejada se houver metas bem colocadas para todos e uma operação padronizada, disciplinada e estável. Estas são duas condições básicas quanto ao método (existem outras, principalmente ligadas à área do comportamento humano) para que as melhorias ocorram da maneira sonhada.

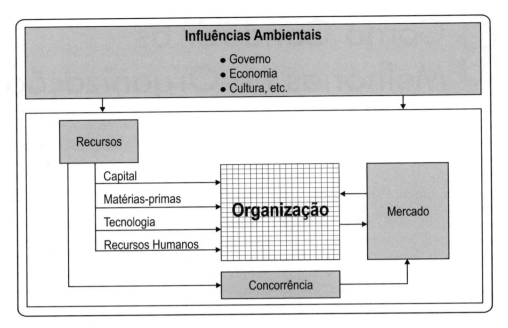

Figura 8.1: Modelo de uma organização como um sistema adaptável[25].

8.2 Mecanismos de Melhorias

Melhorias são conduzidas pela execução de bons Planos de Ação. Um Plano de Ação bem feito irá decorrer de uma análise, por mais simples que seja. No entanto, uma grande dificuldade numa organização é fazer com que boas análises aconteçam. Não sei explicar o motivo: será porque não sabemos conduzir uma análise? Será que achamos que um bom Plano de Ação "é o que está em minha cabeça"? Será porque somos arrogantes e achamos que não precisamos de analisar informações pois "sabemos tudo"?

Se você quiser garantir que sua equipe faça Planos de Ação melhores, aumentando assim as probabilidades de atingir suas metas, só tem um jeito: treine sua equipe em análise e depois cobre em toda reunião uma apresentação da análise efetuada para cada plano. Sei que isto vai tornar suas reuniões mais demoradas, mas a apresentação e discussão das análises irá forçar todos a fazer o melhor e serão um aprendizado para todos, inclusive para você.

Toda organização tem sempre muitas melhorias a fazer em várias frentes. Existem dois mecanismos para conduzir estas melhorias: *Melhores Práticas e Projetos Especiais*.

A Figura 8.2 é uma simulação de como o valor de um indicador qualquer varia em vários departamentos (A, B, C, D e E) de uma organização ou entre a organização e outra com a qual se faz um *benchmarking*. Estes valores variam porque as práticas são diferentes e isto é muito comum. O mecanismo de melhorias chamado de *Melhores Práticas* é o exercício de repetir, nos vários departamentos, uma melhor prática existente na organização ou copiada de uma outra. Muito embora este mecanismo de melhorias possa parecer mais simples, não é fácil difundir uma boa prática, principalmente quando uma organização é muito grande. Este mecanismo será muito facilitado em organizações que tenham um bom Sistema de Padronização e disciplina operacional difundida (bom Gerenciamento da Rotina do Trabalho do Dia a Dia).

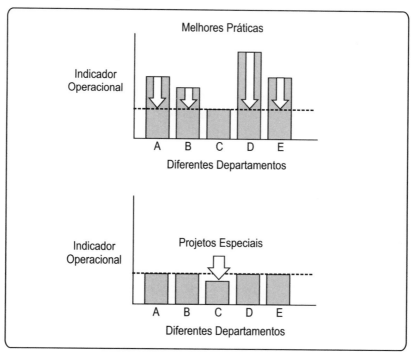

Figura 8.2: Modelo dos dois mecanismos de melhorias.

O mecanismo de melhorias chamado de *Projetos Especiais* é o exercício de atacar os problemas difíceis da organização utilizando todos os recursos da Análise de Sistemas. Este é também o reino da inovação. Esta prática deve ser conduzida preferencialmente por pessoas preparadas para tal e que sejam capazes de utilizar os recursos existentes e os modelos apropriados a cada caso, como mostrado no Apêndice. Estes projetos devem ser conduzidos pelas melhores equipes disponíveis pois são, geralmente, projetos muito difíceis e que exigem muita perícia em análise. Trata-se, provavelmente, de desafiar a melhorar certos processos que já são os melhores do mundo!

Dois comentários sobre estes mecanismos:

(a) Uma empresa deve iniciar seus esforços de melhorias sempre pela adoção das Melhores Práticas. Porém, entendendo que o que foi uma ótima prática ontem pode não o ser em outro contexto. Copiar uma prática tem o mesmo valor que inventar algo novo, pois o que interessa é o resultado que decorre do esforço.

(b) Depois de certo tempo os dois mecanismos devem ser conduzidos simultaneamente em toda a empresa.

Neste ponto gostaria de acrescentar uma observação muito importante quando se quer adotar Melhores Práticas de outras empresas. É muito fácil adotar uma "Melhor Prática" no nível das Operações. Uma Operação é simples e, se houver um mínimo de disciplina, a Melhor Prática será adotada sem problemas. Agora imagine adotar uma Melhor Prática em nível de Processo. Este caso já fica mais complicado pois, ao alterar um Processo, pode-se estar alterando também várias Operações e o nível de disciplina e padronização exigidos pode ser bem maior. A adoção de Melhores Práticas em nível da Organização, que pode implicar modificações em vários processos, é quase impossível para empresas que não sejam totalmente padronizadas e com um nível de disciplina operacional razoável. Portanto, peço a meu leitor a compreensão de que a adoção de Melhores Práticas é talvez o melhor e mais simples modelo de melhorias, pois basta copiar. No entanto, para que tenhamos sucesso é necessário que estejamos gerencialmente preparados. Até para copiar é necessário ter competência!

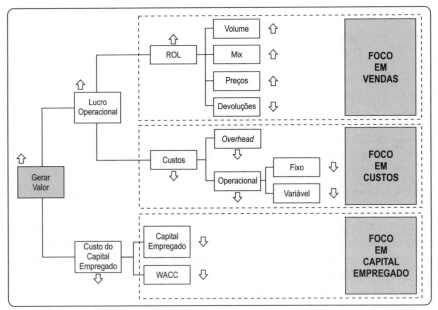

Figura 8.3: Modelo simplificado da Geração de Valor em uma organização (WACC = Custo médio ponderado do capital).

Nos itens seguintes trataremos de alguns aspectos importantes das melhorias que têm consequências financeiras, que são o foco principal de qualquer organização. Para se ter uma idéia mais clara do complexo problema da geração de valor de uma organização, podemos recorrer ao modelo simplificado da Figura 8.3.

Modelos como o mostrado na Figura 8.3, muito embora sejam óbvios, são úteis como instrumento de comunicação e consequente organização mental das prioridades da organização e do entendimento do valor dos principais projetos que se deseja atacar.

8.3 O Ataque aos Custos

Há muito o que fazer em vendas mas, nesta área, nem tudo está em nossas mãos pois a economia varia, o concorrente reage, novos produtos são lançados, a tecnologia muda, etc. Por outro lado, o gerenciamento dos custos e do capital empregado está em nossas mãos e temos a obrigação de ser os melhores do mundo nestas áreas. Se formos os melhores em custos e em utilização do capital empregado, teremos mais tranquilidade para enfrentar os desafios do mercado, que são de natureza bem mais difícil (lembrem-se: no mercado os sistemas são muito abertos!).

Um dos erros que se cometem é fazer "cortes horizontais de custos". É fácil e não exige muita análise o líder simplesmente dizer: quero um corte de dez por cento nos custos! Este tipo de ação é chamado "CORTE BURRO" e conduz a situações de injustiça pois quem estava há muito tempo trabalhando seus custos será punido e aquele que nada fazia ganhará bônus. São os "FALSOS VERDES E FALSOS VERMELHOS". Antes de atacar os custos, lidere a análise de seus custos, avalie as lacunas e atribua metas justas a cada pessoa com base em lacunas bem determinadas.

Apesar de não pretender esgotar o assunto de Custos, gostaria de fazer alguns comentários sobre observações colhidas ao longo da vida. Na maioria das empresas os custos são contabilizados pelos contadores e, portanto, sem a preocupação gerencial. Portanto, o primeiro conselho que gostaria de dar a todos que querem combater custos é que organizem o lançamento dos custos de tal maneira que seja possível conhecer perfeitamente a sua natureza e a sua fonte geradora. Proponho para isto utilizar o modelo de Porter[26], mostrado na Figura 8.4. Na etapa A, a figura mostra o modelo de Porter indicando as várias atividades primárias e de apoio de uma organização. Na etapa B fica indicado que as atividades de apoio são estáticas, ou seja, não variam em função da quantidade produzida. Nesta etapa B fica também indicado que as atividades primárias são dinâmicas, ou seja, variam em função da quantidade produzida. Na etapa C propõe-se denominar de Custos de *Overhead* aqueles custos relativos às atividades de apoio e que não se alteram em função da quantidade produzida, e de Custos Operacionais os custos relativos à cadeia de produção (atividades primárias) e que variam em função da quantidade produzida. Nestes Custos Operacionais, parte é fixa (por exemplo: energia de iluminação da área de produção, operadores de equipamentos, etc.) e parte é variável (matérias-primas, embalagem, parte da mão de obra direta). Vale observar que, muito embora os Custos de *Overhead* e os Custos Operacionais Fixos sejam ambos fixos, as suas naturezas são diferentes e portanto as ações para combatê-los também o são. É importante conhecê-los separadamente para que ações mais efetivas possam ser tomadas.

Pensando assim teríamos:

(a) **Custos Operacionais**: são os custos incorridos nas atividades primárias nas quais o valor é agregado desde as matérias-primas até o produto final entregue no Cliente. Numa siderúrgica a maneira mais fácil de decidir o lançamento destes custos é pensar o seguinte: "custo operacional está sempre associado às operações onde houver um átomo de ferro junto". Num hospital: "*custo operacional está sempre associado às atividades onde houver um doente incluído*". Veja a Figura 4.2 e os conceitos de Shingo[9] para melhor entendimento.

(b) **Custos de *Overhead***: são todos os outros custos referentes às atividades de apoio, como mostrado na Figura 8.4.

Depois estes custos devem continuar a ser desdobrados de maneira que se possa sempre conhecer a sua natureza e, portanto, a lógica do controle exercido.

Quando a natureza dos custos é conhecida, você pode estabelecer "regras gerais" de controle que facilitam a vida em todos os níveis da organização. Vou dar alguns exemplos.

As "regras gerais" para os Custos de *Overhead* são as seguintes:

(a) São medidos em valores absolutos (R$/unidade de tempo).

(b) Devem cair sempre.

(c) Para subirem, deve haver projeto específico comprovando retorno financeiro para ser aprovado em alta instância.

Estas "regras gerais" são necessárias para evitar desculpas em reuniões de acompanhamento. Por exemplo, se os Custos de *Overhead* sobem sem que tenha havido projeto específico aprovado, temos um fato grave. Não existem desculpas cabíveis. O que o Gerente tem que fazer é investigar o ocorrido e propor ações corretivas e preventivas de forma a evitar que isto volte a ocorrer. O que deve ser discutido na reunião são estas ações corretivas e preventivas e não desculpas.

As "regras gerais" para os Custos Operacionais são:

(a) São medidos em valores específicos (R$/unidade de produto).

(b) Quando a produção aumenta eles aumentam em valor absoluto, mas poderão cair em valores específicos.

(c) São afetados principalmente por três alavancas: preços das matérias-primas, consumos específicos e ritmo de produção (existem outras).

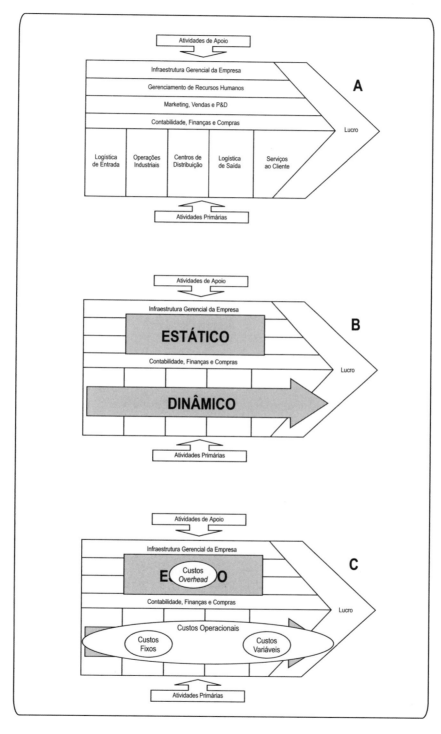

Figura 8.4: Modelo da Natureza dos Custos.

(d) Se queremos gerenciar os preços (compras), teremos que estabelecer controle específico, fixando os valores específicos de consumo.

(e) Se queremos gerenciar os esforços de aumento de produtividade (redução de consumos específicos), teremos que fixar um preço médio (neste caso os Custos Operacionais devem cair sempre).

É possível estabelecer "regras gerais" como estas para os vários tipos de custo para que possamos saber o que fazer quando observarmos gráficos de controle de custos em reuniões de acompanhamento de metas.

Todos os tipos de custo devem ter regras gerais conhecidas e ser combatidos sempre, inclusive os pequenos e pulverizados, para que se estabeleça a cultura adequada. Todo custo é custo e não existe custo grande ou pequeno. Se você quiser criar uma cultura feroz de combate a custos, dê importância a todos os custos.

É importante comentar aqui a influência do projeto do produto, tanto nos Custos Operacionais como nos Custos de *Overhead*. Quando falamos de produto aqui, estamos nos referindo a todos os produtos finais e intermediários. Cada processo da organização tem seus produtos. Todo produto tem várias características que afetam a preferência dos clientes, internos ou externos. Existem características que são fundamentais (têm valor pois os Clientes estão dispostos a pagar por elas) e outras nem tanto. Existe uma técnica, denominada "Análise do Valor", que analisa o valor atribuído a cada característica de maneira que se possa definir a sua relação custo/benefício. Isto deve ser feito tanto para os produtos finais da organização como para seus produtos intermediários (inclusive os administrativos). Você poderá concluir que muitos destes produtos nem são mais necessários e, como decorrência, seus processos também não.

Finalmente, uma vez que a Análise do Valor tenha sido feita, temos que voltar ao processo e reprojetá-lo, eliminando e/ou juntando etapas. Isto tem que ser feito constantemente, pois tudo muda: novas tecnologias, novos preços, novo câmbio, novos materiais, etc. O mundo muda à nossa volta e temos que nos movimentar sempre. Não só processos, como estrutura organizacional e operações devem ser reprojetadas continuamente (ver figura 4.3).

Nós, seres humanos, nos acostumamos com tudo. Temos que fazer força para nunca nos acomodar e crer profundamente que tudo pode ser melhorado sempre. Os custos desnecessários estão escondidos em todos os lugares e, quando a cultura de seu combate é estabelecida, você irá perceber que os custos podem ser reduzidos a níveis antes inacreditáveis. Os japoneses utilizam uma técnica chamada "as três fontes de perdas" (desperdício, inconsistência e insuficiência), que deve ser estudada e entendida[5].

8.4 O Ataque ao Capital Empregado

Tenho percebido que a Gestão do Capital Empregado nem sempre tem tido tanta atenção quanto a Gestão de Custos. No entanto, o Capital Empregado tem uma importância também muito grande, em certos casos até maior que os custos. De uma maneira geral, quanto melhor a gestão da Cadeia de Valor melhor será o rendimento do Capital Empregado.

O Capital de Giro é parte importante do Capital Empregado, e a capacidade gerencial da empresa afeta diretamente o seu valor. Uma das alavancas principais do Capital de Giro é o nível de estoques. Teoricamente não há razões para ter estoques, daí a razão de o Sistema Toyota de Produção clamar por estoque zero (*Stockless Production System*)[15]. Tenho percebido que o nível de estoques será tanto maior quanto pior for o Gerenciamento Funcional da organização. Estoques ocorrem por imperfeições na previsão de vendas, na programação de produção, no desempenho da logística, na quebra de equipamentos, no suprimento de matérias-primas, etc. Enfim, existem várias fontes de formação de estoques e nem sempre "campanhas de redução de estoques" dão resultados, simplesmente porque a empresa não tem sistema gerencial que a permita.

Outras alavancas que afetam o Capital de Giro são o prazo de pagamento e o prazo de recebimento. O dinheiro que se aplica financiando o cliente geralmente decorre da ânsia de vender. Em algumas situações é justificável o prazo, mas na maior parte dos casos o prazo concedido é mais um fator em que o vendedor trabalha contra a empresa. A concessão de prazos, os descontos e as ofertas especiais são utilizados para ajudar a vender, em alguns casos para suprir o despreparo do vendedor ou do próprio sistema de vendas. Comentários semelhantes podem ser feitos para os prazos de pagamento. A conclusão que se tira de tudo isto é que, quando o gerenciamento da empresa não é bom, paga-se o preço, entre outros, no Capital Empregado.

A produtividade das linhas de produção é outro ponto que deve ser gerenciado com cuidado para que se possa fazer o melhor uso do Capital Empregado. Se avaliarmos a "Eficiência Global" das linhas de produção, iremos notar que os números são muito baixos e que é possível, dependendo dos casos, obter valores em torno de 90% (tenho visto alguns casos em que estes valores foram ultrapassados). A "Eficiência Global" mede a relação entre o nível de produção mensal atual e uma situação de produção máxima (24h/dia x 30 dias/mês x capacidade nominal de produção horária do equipamento). É muito comum encontrar linhas de produção com Eficiência Global inferior a 50%.

Uma conhecida usina siderúrgica brasileira produzia, no final da década de 80, algo em torno de 750 mil toneladas por ano de aços-carbono comuns. Em 1988 foi iniciado um esforço de desenvolvimento gerencial, com especial ênfase no Gerenciamento da Rotina. Depois de certo tempo esta empresa treinou mais de 700 pessoas em melhorias (método de Solução de Problemas com utilização de softwares de estatística). Como consequência, a produção geral da usina foi aumentada para 1.300 mil toneladas/ano sendo que, num dos projetos, uma instalação de lingota-

mento contínuo teve sua produção aumentada de 300 mil toneladas/ano para 1.300 mil toneladas/ano, isto tudo sem grandes investimentos. Não satisfeitos, perceberam que tinham um controle dos processos produtivos tão bom que poderiam fabricar um tipo de aço mais nobre e de maior margem, cujo mercado era dominado pelos japoneses. Depois de uns dois anos de melhorias e ajustes, produziram o aço com qualidade melhor que o japonês. O resultado é que dominaram o mercado mundial deste aço. Esta usina é hoje considerada uma das melhores do mundo em rentabilidade do Capital Empregado. A combinação de Gerenciamento da Rotina excepcional com competência em Solução de Problemas é explosiva.

No caso mencionado acima, é bom notar que eles conseguiram duas vitórias sobre o capital empregado:

(a) Questionar a própria produção nominal do equipamento fazendo algumas modificações em seu projeto. Assim, é possível conseguir Eficiências Globais superiores a 100% se a produção nominal de projeto puder ser questionada.

(b) Aumentar substancialmente o valor agregado ao produto, tendo em vista melhor domínio do processo.

Tenho visto isto acontecer em alguns casos e os ganhos em rentabilidade do Capital Empregado são muito grandes.

Como já mencionamos antes, a manutenção industrial pode ser gerida para custo mínimo ou para utilização máxima do Capital Empregado.

8.5 O Ataque à Receita

O ataque às vendas é conteúdo muito amplo e não faz parte do escopo deste texto, mas quero deixar aqui algumas observações que fiz ao longo da vida.

Os recursos financeiros entram na empresa por meio dos vendedores. É raro encontrar vendedor que tenha a cabeça de "coletor de grana". Alguns problemas em frentes de vendas:

(a) Vendedor gosta de mostrar "Volume de Vendas".

(b) Vendedor gosta de "Positivar" (transformar uma visita ao cliente numa venda). Isto pode provocar *drop size* muito pequeno e custos logísticos elevados.

(c) Vendedor gosta de dar desconto para vender mais volume.

(d) Nem sempre existem controles apurados nas frentes de vendas (façam uma experiência, calculem a rentabilidade de cada venda, de cada vendedor, de cada gerente, de cada rota, de cada cliente, etc. Você terá surpresas).

(e) Calcule a Média e o Desvio Padrão dos preços praticados. Mais surpresas.

(f) Você conhece o custo do minuto de seu vendedor? Quanto tempo ele gasta com cada cliente? Como varia o custo direto de vendas?

Creio que nossos problemas em vendas decorrem do fato de que o Brasil passou muitos anos "distribuindo produtos" e não tendo que se aplicar em vendas. No passado o mercado sempre foi do vendedor, devido a um longo período de controle de preços em muitas categorias. Mercado do comprador é coisa recente no Brasil. É raro o gerenciamento científico de vendas no Brasil.

Finalmente, os "sistemas de vendas" são muito abertos e, portanto, exigem rapidez de ações. Para isto, toda tecnologia de informática, associada à análise de dados de bancos de dados poderosos e atualizados diariamente, deve ser utilizada.

8.6 A Importância da Execução

Certa feita recebi um telefonema de um consultor que estava no exterior, dizendo que já estava havia cinco meses no Cliente e que não havia aparecido ainda nenhum resultado. Além disto, estava marcada uma reunião da Diretoria, a ser realizada na unidade onde estávamos, para acompanhar o projeto. Ele me perguntou o que deveríamos fazer. Eu lhe disse o seguinte: "se existe um plano de ação e a meta não é batida, das duas uma, ou as ações não foram executadas ou o plano está péssimo". Sugeri então que ele fizesse um levantamento exaustivo de todas as ações, com a finalidade de verificar a execução.

Dois dias depois ele me telefonou e disse: "constatamos que nada foi feito, mas não dá para entregar as chefias na reunião porque faremos inimigos na empresa". Eu lhe disse: "ou saímos como inimigos mas com resultado entregue ou vamos sair como incompetentes. Prefiro falar a verdade, avisando às chefias antes da reunião para que não haja surpresas."

Isto foi feito, decidiram cobrar semanalmente a execução das ações e logo todas as metas estavam sendo batidas.

Estamos com este Cliente até hoje.

Falta decisão. Não executamos completamente, e a tempo, os Planos de Ação. Somos procrastinadores. Além disto, quando existe a necessidade de reduzir o quadro de pessoal, de enfrentar fornecedores, de enfrentar a opinião pública, de enfrentar parentes, de enfrentar "amigos da família", etc., recuamos e deixamos de executar, muita vez para defender nossa verdadeira agenda, que é preservar nossos interesses próprios e não os interesses da empresa. Queremos estar bem com todos, que podem eventualmente ser nossas opções futuras, e acabamos por não fazer o que tem que ser feito. Já vi acontecer situação em que o Presidente Executivo contratou uma consultoria para avaliar melhorias, não executou o que tinha que ser feito, a empresa foi vendida e o comprador, sem compromissos com ninguém, executou o Plano de Ação existente e duplicou a Margem de EBITDA em dois ou três meses.

No método PDCA, a letra D de DO significa EXECUTAR. Sem execução nada existe. No entanto, somos procrastinadores por natureza e, se não houver verificação da execução e cobrança, não se consegue atingir as metas. A letra C de CHECK significa verificar o alcance da meta e a execução das ações. As duas coisas têm que ser feitas. O líder confia mas checa!

Sempre encontro situações que considero "didáticas" nas empresas. Recentemente, numa visita à Suzano Papel e Celulose, em São Paulo, vi a Figura 8.5, que mostra uma situação de procrastinação na execução das ações. Naquele local, ao contrário dos outros, os resultados não evoluíam. Foi verificado que as ações não estavam sendo implantadas *"porque a liderança não acreditava nisto"*. A ação da empresa foi trocar a liderança local, e o efeito da nova liderança na execução das ações pelo grupo foi simplesmente sensacional. Vejo situações como esta frequentemente, o que corrobora a definição de liderança na qual acredito: *"liderar é bater metas consistentemente, com o time e fazendo certo"*.

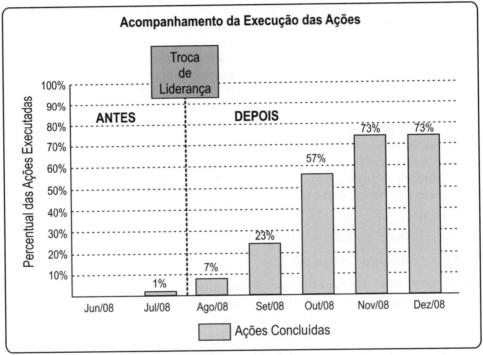

Figura 8.5: Efeito da troca de liderança na execução das ações (cortesia da Suzano Papel e Celulose, São Paulo, Brasil).

8.7 A importância do "Check"

Nós, seres humanos, precisamos sentir que o que fazemos é importante. Sentimonos importantes quando somos cobrados pelo resultado de nosso trabalho!

A cobrança de resultados é muito importante e as lideranças deveriam fazer isto pessoalmente. Neste sentido, transcrevo abaixo uma observação de um de meus revisores:

> *Na minha experiência, o que move realmente o PDCA é o forte foco no check dos resultados. Na AmBev, todo mês Marcel e Magim iam às fábricas e às regionais comerciais, cobrando fortemente dos gestores. Depois o Brito cobrava cada "fato-causa-ação" quando assumiu a Diretoria de Operações e, finalmente, na fábrica Nova Rio o foco total no "75/20" na cobrança foi definitivamente o fator crítico de sucesso do projeto.*

9 Como Operar com Resultados Estáveis

Alto-Forno é ritmo!
Autor Desconhecido.

9.1 Analogia com o Corpo Humano

A natureza é sábia. Enquanto você lê este livro não lhe passa pela cabeça qualquer tipo de preocupação com a respiração, com a circulação sanguínea, com o crescimento das unhas ou do cabelo, com a digestão, etc. Nosso corpo funciona sozinho e com garantia da qualidade e deixa para sua mente a preocupação em fazê-lo crescer como ser humano por meio do aprendizado.

O mesmo deveria ocorrer com as organizações. Deveríamos construir organizações que funcionem automaticamente, deixando para a administração a responsabilidade de fazê-la crescer, agregando conhecimento ao sistema organizacional. Esta construção de organizações que funcionam sozinhas equivale ao administrador promover o Gerenciamento da Rotina do Trabalho do Dia a Dia[5].

A primeira prioridade de qualquer Gerente deveria ser "estabilizar os seus processos". No entanto, testemunho que o que acontece de fato é que todos querem melhorar os resultados, pois são cobrados por isto, e prestam pouca atenção à rotina. A consequência é que nunca atingirão os resultados de excelência que poderiam atingir, pois a operação errática não o permite. A administração e os técnicos da organização, quando a rotina não é boa, acabam por consumir grande parte de seu tempo preocupados com problemas ruins (ver Figura 3.1), que não deveriam existir com um bom Gerenciamento da Rotina.

9.2 Considerações sobre o Gerenciamento da Rotina

Os procedimentos necessários para manter a operação estável constam essencialmente do seguinte[5]:

(a) Estabelecimento das faixas de especificação dos indicadores operacionais.

(b) Estabelecimento dos Padrões Técnicos de Processo, Padrões Gerenciais e Procedimentos Operacionais Padrão[31].

(c) Treinamento e certificação dos operadores no cumprimento dos padrões.

(d) Verificação do cumprimento das especificações e do cumprimento dos padrões (supervisão e auditoria).

(e) Atuação corretiva e preventiva nos desvios.

Não é fácil ter uma boa rotina estabelecida. Os detalhes de sua implementação estão descritos em meu livro sobre o tema[5]. Um dos maiores inimigos de uma boa rotina é o *turnover* de pessoal. Se desejamos ter uma boa rotina, minimizando desta forma os problemas operacionais indesejados e que tomam tempo da administração (ver Figura 3.1), temos que trabalhar durante anos até que os operadores trabalhem confiantemente na ausência de supervisão e consigam manter os resultados operacionais. Como decorrência os acidentes desaparecem. Temos empresas no Brasil que chegaram a este estágio.

O líder alcança resultados por meio de pessoas e não executando por elas. Em muitas empresas, o líder é valorizado pelo número de problemas que "resolve" no dia a dia e não pela capacitação de sua equipe para que os problemas não ocorram. Estes líderes têm dificuldades para perceber que o grande volume de problemas do dia a dia ocorre, na verdade, porque não são tratados adequadamente dentro do Gerenciamento da Rotina e se repetem.

Finalmente, gostaria de transmitir a meus leitores, Diretores e Gerentes de organizações, que não existem melhorias permanentes numa organização a menos que vocês consigam estabilizar as operações por meio de Gerenciamento da Rotina (ainda assim, por ser um sistema aberto, mudanças repentinas podem ocorrer). Tenho assistido a organizações que querem treinar Black Belts (especialistas em melhorias com utilização de recursos sofisticados), às vezes para copiar experiências bem-sucedidas em outras empresas, sem que tenham uma boa rotina. Estas iniciativas geralmente resultam em fracasso. Um Gerenciamento da Rotina excepcional é a boa base sobre a qual se constrói o prédio da excelência.

O Gerenciamento da Rotina do Trabalho do Dia a Dia consta de uma série de procedimentos necessários para que os sistemas operacionais da empresa funcionem de forma estável e confiável. Este gerenciamento é representado por meio do modelo da Figura 3.3 e consta de procedimentos voltados para manter uma operação estável (representados pelo modelo SDCA) e de procedimentos voltados para melhorar a própria operação (representados pelo modelo PDCA).

O SDCA é prioritário e é o seu bom funcionamento que torna possível que as melhorias sejam contínuas e duradouras. O faturamento de uma empresa decorre do SDCA.

9.3 Normas de Garantia da Qualidade

Os Sistemas de Garantia da Qualidade estão hoje bem estabelecidos quanto aos procedimentos, e a norma ISO 9001 é um excelente padrão para um sistema desta natureza. O grande desafio numa empresa é o gerenciamento destes sistemas funcionais. Ainda é muito difícil encontrar empresas que conseguem fazê-lo de forma eficaz. Como já foi mencionado antes, a Toyota levou anos para conseguir estabilizar seu gerenciamento funcional (interdepartamental). As empresas deveriam se esforçar nesta direção, pois é o estabelecimento do funcionamento destes sistemas que tratam das funções da organização que trará a verdadeira estabilidade e tranquilidade administrativa.

Recomendo a meus leitores que não se deixem enganar. Não adianta conseguir uma certificação num processo se você não tem o Gerenciamento da Rotina no sangue de sua turma, em toda a empresa, inclusive nas áreas administrativas. Diplomas de atendimento às normas, muito embora sejam em alguns casos exigidos pelos Clientes, não resolvem o problema da estabilidade dos processos. O que realmente resolve nossos problemas é ser disciplinado no Gerenciamento da Rotina, mudando radicalmente a cultura reinante. A empresa tem que ser tratada como uma instalação de laboratório. Tudo tem que ser limpo, preciso, competente, disciplinado. Vale a pena lutar por isto. Depois que for criada esta base, você colocará seus resultados no patamar que quiser!

9.4 O Diagnóstico do Gerenciamento da Rotina

Diretores e Gerentes devem ter como uma de suas missões garantir uma operação estável. Recomendo implementar o Gerenciamento da Rotina em todas as frentes de trabalho fabril, administrativo e de vendas, de forma contínua. Você perceberá que algumas frentes avançarão mais rapidamente do que outras. Algumas não avançarão (falta liderança). Você precisa ter um mecanismo de medição deste avanço.

O INDG - Instituto de Desenvolvimento Gerencial desenvolveu um diagnóstico do avanço do Gerenciamento da Rotina que tem sido muito apreciado por seus Clientes. Este diagnóstico serve para dar uma visão geral do nível do Gerenciamento da Rotina em sua empresa, para mostrar seus departamentos mais avançados e para indicar o que fazer em seguida para continuar avançando. A Tabela 9.1 mostra os itens observados e a Figura 9.1 mostra um resultado típico.

Cada item da Tabela 9.1 é observado por meio de evidências objetivas, de forma que se possa atribuir a cada um uma nota de 0 a 100 e desta forma compor o quadro da situação reinante. Os resultados são então lançados em gráficos, como mostrado na Figura 9.1 que são autoexplicativos. Olhando o gráfico observam-se perfeitamente os pontos fracos que devem ser reforçados com educação e treinamento. No caso da Figura 9.1, que é um caso real, observa-se que a fase A, tanto do PDCA como do SDCA, é a mais difícil de ser absorvida pelo pessoal. Um bom Gerenciamento da Rotina, com média geral final acima de 80%, pode ser conseguido num prazo de dois a três anos, dependendo da liderança, dos recursos disponíveis e do *turnover* do pessoal. Não adianta muito querer cortar caminho, pois o avanço do gerenciamento é um processo educacional e como tal leva tempo.

Tabela 9.1: Atividades avaliadas num Diagnóstico do Gerenciamento da Rotina.

Atividades Avaliadas
1. Identificação dos Problemas
2. Análise do Histórico do Problema
3. Desdobramento do Problema
4. Identificação das Responsabilidades
5. Levantamento dos Dados
6. Análise dos Dados
7. Avaliação no Local de Ocorrência
8. Definição das Causas
9. Priorização das Causas
10. Proposição das Ações
11. Priorização das Ações
12. Elaboração do Plano de Ação
13. Treinamento e Capacitação
14. Execução das Ações
15. Divulgação dos Resultados
16. Avaliação dos Resultados
17. Tratamento dos Desvios
18. Padronização das Ações de Melhoria
19. Avaliação da Efetividade do Ciclo de Melhoria
20. Padronização
21. Planejamento dos Treinamentos
22. Planejamento das Auditorias
23. Treinamento nos Padrões
24. Cumprimento dos Padrões
25. Auditoria dos Padrões
26. Monitoramento dos Resultados
27. Avaliação dos Resultados
28. Identificação de Anomalias
29. Tratamento de Anomalias
30. Identificação e Priorização de Problemas Crônicos

Estas informações são então somadas para uma avaliação geral do Gerenciamento da Rotina na organização, como mostrado na Figura 9.2. Nesta figura observa-se a situação geral do Gerenciamento da Rotina nos vários processos da organização fase a fase do método. Vê-se também a situação geral do SDCA e do PDCA, bem como o nível geral do Gerenciamento da Rotina em toda a organização.

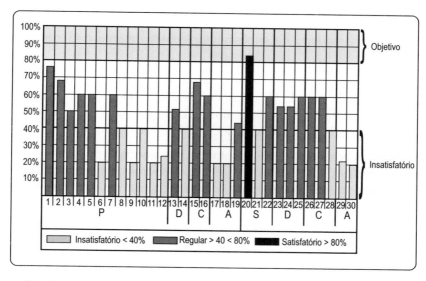

Figura 9.1: Exposição dos resultados do Diagnóstico do Gerenciamento da Rotina de um processo.

No caso da Figura 9.2, a organização tem 48% de avanço no Gerenciamento da Rotina. Já temos no Brasil algumas partes de organizações (por exemplo, uma fábrica de uma empresa) com nota 96%. Só por curiosidade: esta empresa treinou 700 *Black Belts* depois de ter seu Gerenciamento da Rotina neste patamar e é a mesma usina siderúrgica citada no caso relatado no item 8.4. Nada acontece por acaso...

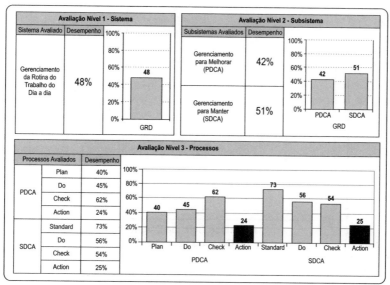

Figura 9.2: Resumo das Avaliações do Gerenciamento da Rotina (GRD = Gerenciamento da Rotina).

Sugiro fortemente que meu leitor:

- Tome ações no sentido de implementar continuamente o Gerenciamento da Rotina[5].

- Avalie anual ou semestralmente o andamento dos trabalhos e atue firmemente nos resultados do diagnóstico, seja em educação e treinamento em itens que estão mais fracos seja em troca de lideranças que não estão conseguindo conduzir as mudanças necessárias (ver Figura 9.3).

Algumas empresas brasileiras estão adotando premiações aos primeiros colocados nas avaliações realizadas no desenvolvimento do Gerenciamento da Rotina. Assim, temos visto prêmios nas áreas fabril, de vendas, administrativas, suprimentos, fornecedores, etc.

Finalmente, o diagnóstico do Gerenciamento da Rotina deve ser conjugado com uma avaliação do nível de alcance das metas e colocado numa matriz, como mostra o modelo na Figura 9.3.

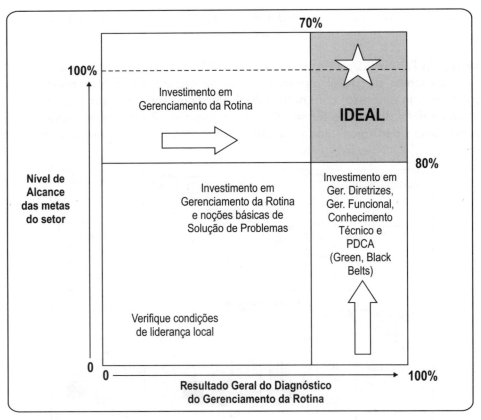

Figura 9.3: Modelo de Avaliação Final de um setor organizacional quanto a seu desenvolvimento gerencial.

Queremos equipes que atinjam ou superem as metas, mas que tenham estabelecido sistemas que garantam que os novos resultados permaneçam estáveis no novo patamar. Esta estabilidade só é garantida com um Gerenciamento da Rotina exemplar.

Reparem que, à medida que o tempo passa, o Gerenciamento da Rotina se torna cada vez mais exemplar e os problemas mais fáceis vão sendo resolvidos. Aí, então, teremos que focar em desenvolver profundamente a capacidade analítica de todas as pessoas (Green e Black Belts), desenvolver sistemas gerenciais mais robustos (Gerenciamento pelas Diretrizes, com base na cadeia de valor, Gerenciamento Funcional - ou interdepartamental) e buscar em todo o mundo o conhecimento técnico mais avançado disponível. Tendo em mente o conceito de "sistemas adaptativos" (ver item 8.1 e Figura 8.1), não existe organização neste mundo que se julgue suficientemente avançada que não tenha que continuar avançando. A mudança é o normal.

***

Nota do Autor: Coloquei no início do Capítulo a expressão *"Alto-Forno é ritmo!"*, que é de conhecimento dos que operam este tipo de equipamento da siderurgia, o mais importante deles pois agrega parte substancial do valor numa usina. Fui professor de engenharia metalúrgica durante muitos anos e sempre apaixonado pela físico-química das reações que ocorrem neste equipamento. É um equipamento fechado, e as pessoas que o operam não vêem o que ocorre lá dentro. Têm que imaginar. É, a meu ver, um equipamento para ser analisado por pessoas reflexivas. No entanto, existe uma verdade que todos conhecem: quanto mais estável for a operação, melhor será a produção e menores serão os custos operacionais. Isto é, para todos os operadores de altos-fornos, uma verdade inconteste. Creio que isto é verdade para TODOS os processos!!!

Parte III
O Conhecimento na Gestão

10 Gerenciamento da Aquisição de Conhecimento na Organização

> *There is no substitute for knowledge.*
>
> **W. Edwards Deming**

Uma organização é uma máquina de acumulação de conhecimento. Este livro, em seus capítulos anteriores, mostrou que a organização que acumula mais conhecimento e que é capaz de utilizá-lo de forma disciplinada terá os melhores resultados. Existem alguns fatores básicos que são importantes para a acumulação desta riqueza:

a) **Tempo**, pois o conhecimento é acumulado por meio do ser humano e este tem uma certa velocidade de aprendizado característica de cada um. Existe uma "curva de aprendizado". É importante recrutar pessoas de elevado potencial mental para certas posições.

b) **Metas** bem distribuídas para todas as pessoas da empresa que sejam a força motriz para a aquisição do conhecimento. Isto implica um Gerenciamento pelas Diretrizes excepcional.

c) **Cultura** de insatisfação e voltada para desempenho e busca contínua de melhores resultados, inclusive inovação, questionando sempre o nível atual. Cultura de indignação com o *status quo*.

d) Elevada **motivação** do pessoal. Serão vistas mais adiante, neste capítulo, as políticas de recursos humanos que devem ser observadas para desenvolver saúde mental em toda a organização.

e) Sistema de **padronização** bem estabelecido, pois o padrão é o registro do conhecimento assimilado na prática. O padrão é o registro do conhecimento explícito[12]. Isto implica um Gerenciamento da Rotina exemplar.

f) Baixo *turnover* de pessoal. A mente humana é o registro do conhecimento tácito[12].

10.1 Gerenciamento e Aprendizado da Empresa

O gerenciamento deve ser um veículo de aprendizado contínuo de uma empresa. A pré-condição para isto é a prática do método, da seguinte maneira:

1. Metas bem estabelecidas para todos.

2. Prática da análise e síntese (novos conhecimentos a partir da informação e da aquisição de conhecimento técnico).

3. Execução.

4. Acompanhamento de resultados e da execução.

5. Difusão das novas práticas por meio da padronização (SDCA).

Uma organização que consegue difundir a prática do método por todas as pessoas é a verdadeira "Organização de Aprendizado" como esquematizado na Figura 10.1 e como proposto por Senge[30].

A Figura 10.1 mostra, no método, quatro pontos em que o conhecimento é **criado** (ponto 1), **aprendido** (ponto 2), **copiado** (ponto 3) e **difundido** (ponto 4). Todas as formas de aquisição do conhecimento aqui citadas têm o mesmo valor. O importante é transformar o novo conhecimento em resultados.

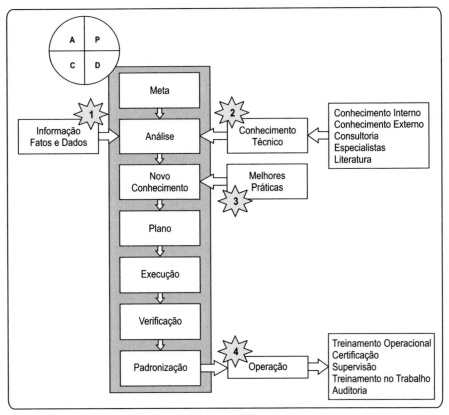

Figura 10.1: Modelo para aquisição, desenvolvimento e consolidação do conhecimento numa organização por meio do método.

Finalmente, em governos ou empresas, todos queremos resultados. Quanto mais conhecimento for adquirido ao longo do método, mais resultados teremos. Existe uma relação linear entre resultados e conhecimento. O método permite buscar exatamente aquele conhecimento necessário para atingir o resultado desejado. É diferente de conhecimento adquirido em sala de aula, não necessariamente conectado aos resultados. Este também é importante, mas aquele adquirido na prática do método é o mais eficaz!

10.2 Processo de Aprendizado em Organizações

A Figura 10.1 mostra como o conhecimento participa do método gerencial e como ele é adquirido e difundido na organização. O que aquela figura não mostra é a participação do ser humano no método e quais são as principais alavancas do aprendizado. Maslow[4] estudou este processo e criou dois conceitos que são fundamentais para o entendimento do processo de aprendizado humano.

O primeiro é o conceito de <u>Potencial Mental</u>. Maslow[4] lançou o conceito de que qualquer ser humano, em qualquer lugar do planeta, nasce com um potencial mental que é totalmente aleatório: cada um tem o seu, independentemente de raça, local de nascimento, etc. Este potencial mental corresponde a um "ritmo de aprendizado" (em termos de conhecimentos adquiridos por dia): cada pessoa consegue aprender um certo número de coisas por dia e nada mais que aquilo. A dramática consequência disto é que cada dia perdido de aprendizado é irrecuperável pois cada dia tem sua própria cota. A Figura 10.2 mostra um modelo deste conceito. Nesta figura, a "curva de potencial mental" representa a possibilidade máxima de aprendizado de determinado indivíduo (cada um de nós tem a sua curva). Desta maneira, o ponto M da figura significa a quantidade máxima de conhecimento que esta determinada pessoa poderia acumular em sua vida. No entanto, devido a escolas ruins que não o desafiaram, a pais desinteressados ou inconscientes e a empregos melhores ou piores neste desafio de aprendizado, este indivíduo acabou por acumular a quantidade de conhecimento representada pela letra R. A distância entre os pontos M e R significa as "perdas de aprendizado" do indivíduo ao longo de sua vida.

Existem algumas conclusões a respeito deste conceito:

(a) O treinamento deve ser contínuo (diário) e para que isso possa acontecer é necessário que pelo menos 90% sejam de iniciativa da própria pessoa (mas pode ser provocado).

(b) Uma pessoa de potencial mental médio pode, depois de um determinado número de anos, saber mais coisas que uma pessoa de alto potencial mental, dependendo do nível de aprendizado diário (basta que este último não tenha sido submetido a condições desafiantes de aprendizado por um longo tempo).

(c) Posições de trabalho que exigem grande absorção de conhecimento devem ser preenchidos com pessoas de alto potencial mental.

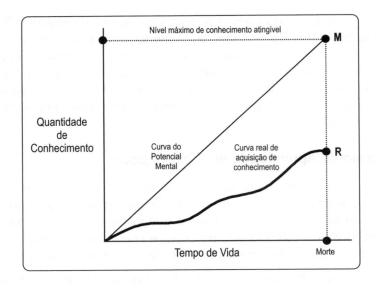

Figura 10.2: Modelo do conceito de Potencial Mental de Maslow[4].

O desperdício de Potencial Mental é tão grande ao longo da vida que é bem provável que seja mais importante desafiar todas as pessoas ao longo de sua vida na empresa (com metas e cargos diferentes) para que elas usem o potencial que já possuem do que simplesmente selecionar pessoas com potencial mais elevado.

Portanto, dentro de uma organização, uma pessoa deve ser constantemente desafiada a buscar conhecimento novo e isto é feito por meio da meta ou mudando-se o cargo da pessoa de forma a criar o desconforto. A meta fácil de ser atingida não leva à busca do conhecimento. A meta impossível de ser atingida leva ao desânimo e, da mesma forma, não leva à busca do conhecimento. É por isto que a meta deve ser colocada de forma técnica, de modo a dar a todos o sentimento de que é difícil mas pode ser atingida. Uma meta assim colocada, ao ser atingida deve ser comemorada, mais do que isto, celebrada.

O segundo é o conceito de <u>Motivação</u>. Para Maslow[4], motivação é saúde mental. Motivação não é um estado de espírito circunstancial ou episódico (não se consegue motivação com um "tapa nas costas" e nem com o "churrasco de fim de ano"). Ela é definitiva. Se uma pessoa está descontente com algum aspecto do trabalho, ela estará somente descontente, mas permanecerá motivada. A motivação é adquirida ao longo dos anos de prática de condições de vida que levam a este estado. Maslow[4] cita então as suas cinco condições de motivação que são as cinco necessidades fundamentais dos seres humanos:

(a) <u>Fisiológicas</u> - casa, comida, roupa, etc. Nas empresas esta necessidade é normalmente suprida com o salário. A riqueza acumulada pela sociedade tem também sua influência (bons hospitais, escolas, estradas, parques).

(b) Segurança - no emprego, na sociedade, na família, etc. Existem aspectos que podem ser supridos pela empresa, mas outros vêm da sociedade. A empresa pode fornecer segurança do emprego, mas a sociedade deve prover o resto. Como fica a mente de um pai ou de uma mãe no trabalho, quando sente que seus filhos estão submetidos a condições inseguras no caminho da escola?

(c) Sociais - O ser humano é gregário. Temos necessidades de "pertencer" a um grupo, de ter amigos. Parte desta necessidade pode ser suprida pela empresa ao promover o trabalho em grupo na solução de problemas, em todos os níveis da organização. Algumas empresas chegam ao ponto de dar uma verba para o churrasco para que os membros do grupo de solução de problemas possam se reunir fora das horas de trabalho.

(d) Estima - Temos necessidade de reconhecimento, de elogios, palmas, etc. A empresa pode suprir parte desta necessidade ao promover eventos em que as pessoas possam mostrar o que estão fazendo e ser reconhecidas. Esta necessidade pode ser suprida de forma organizada em todos os momentos (por exemplo: em reuniões formais da Diretoria ou do Conselho da empresa).

(e) Autorrealização - Temos a necessidade de gostar do que fazemos. Alguém que olha a toda hora para o relógio, esperando a hora de saída, não gosta do que faz. Quando se ama o que se faz não existe hora nem dia especial, é tudo a mesma coisa. O trabalho pode e deve ser confundido com lazer, para que o ser humano possa se realizar e fazer trabalhos excepcionais. Algumas organizações têm praticado o "recrutamento interno" como forma de as pessoas terem a chance de sair de suas posições atuais e buscar algo que gostem mais de fazer.

Em minha opinião estas necessidades, como classificadas por Maslow[4], devem se constituir em um dos focos da gestão de pessoas e estar presentes no consciente dos líderes. Quando se fala destas necessidades, dois pontos são importantes:

(a) Simultaneidade

(b) Coletividade

Simultaneidade - A obra de Maslow[4] que trata destas necessidades não apresenta nenhum modelo para explicar seus conceitos. É um livro totalmente isento de figuras. Todos os modelos que se tornaram populares para explicar estas necessidades, tais como pirâmides e escadas, são proposições de outras pessoas. O problema com modelos, como listados no Apêndice, é que por vezes eles representam mal o fenômeno e acabam por disseminar o conceito de forma imprecisa. Não existe uma sequência de necessidades, como alguns modelos podem sugerir. O que Maslow[4] propôs é que as necessidades são simultâneas, com duas observações:

(a) Em casos extremos (como fome, por exemplo) o ser humano poderá ter uma de suas necessidades profundamente acentuada;

(b) À medida em que a pessoa avança em seu crescimento como ser humano, ela tenderá a dar mais importância à segurança do que às necessidades fisiológicas, às sociais do que à segurança, à estima do que sociais e assim por diante, mantendo todas as suas necessidades simultaneamente o tempo todo.

No argumento da simultaneidade, Maslow[4] menciona que o ser humano é insatisfeito por natureza, mostrando momentos episódicos de satisfação. Se acreditarmos que temos que satisfazer primeiro às necessidades fisiológicas para depois tratar das outras, iremos perceber que, assim que dermos mais destas necessidades, haverá um breve período de satisfação para depois estarmos insatisfeitos outra vez e querendo mais. Não existem limites para este processo. A única maneira de trazer, não satisfação plena, mas saúde mental (motivação), é fazer um esforço de prover as cinco necessidades de forma simultânea.

Coletividade - Um dos pilares da abordagem de Maslow[4] para a busca preventiva da saúde mental é que este esforço deve ser feito para um grupo de pessoas e não para uma pessoa de forma isolada, pois uma das necessidades do ser humano é a social. O ser humano é gregário. Os cinco grupos de necessidades listadas acima devem ser satisfeitas para um grupo de pessoas e de forma preventiva. Esta é uma característica forte das proposições de Maslow[4] e por aí se verifica a importância da organização (emprego) no equilíbrio mental das pessoas.

Estes conceitos são importantes porque a saúde mental humana é a pré-condição para uma melhor absorção do conhecimento pelo ser humano e, portanto, é importante para o alcance de resultados extraordinários numa organização.

A Figura 10.3 mostra um modelo do Processo de Aprendizado dentro da organização, levando em conta estes princípios de Maslow[4].

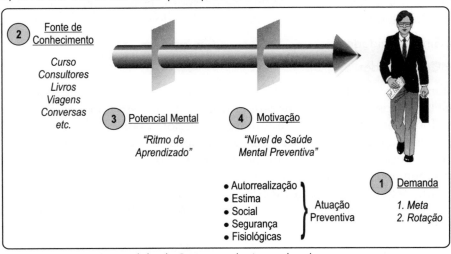

Figura 10.3: Modelo do Processo de Aprendizado na organização.

A Figura 10.3 mostra a figura imaginária (modelo) de um tubo por onde escoaria o conhecimento da fonte para a pessoa. Ao longo do tubo são mostrados os fatores que atuam no processo de aprendizado. O primeiro é o fator provocador, que é a meta ou a mudança de cargo ou rotação. Este fator cria o desconforto necessário para o esforço próprio de aprendizado. O segundo fator é a disponibilidade da fonte de conhecimento. As pessoas que atacam a solução de problemas na empresa devem ter disponível o conhecimento que vem de várias formas. O terceiro fator é o potencial mental, que vai dar a velocidade do indivíduo de aprender, a tempo, o que é necessário para atingir a meta ou resolver o problema (equivale à velocidade com que o conhecimento flui dentro do "tubo"). Este fator depende somente da empresa de recrutar e avaliar as pessoas certas para aquele tipo de trabalho. O quarto fator é a motivação (ou saúde mental). Penso neste fator dentro do processo, como sendo uma válvula: se estiver fechada, por maior que seja o potencial mental, nada entra de conhecimento, e a meta não será batida.

Creio que o entendimento das Figuras 10.1 e 10.3 dará ao leitor a compreensão dos fatores humanos e de método para criar a "Organização de Aprendizado" (chamada na literatura internacional de *Learning Organization*)[30].

Por outro lado, se conseguirmos sucesso em fazer com que as pessoas possam aprender o necessário para que solucionem seus problemas, estaremos criando a verdadeira competitividade da organização, uma organização excelente em nível mundial.

Para resumir os efeitos das Figuras 10.1 e 10.3, a Figura 10.4 mostra que os resultados da empresa são conseguidos inicialmente pelo aproveitamento dos conhecimentos já existentes internamente e que são extraídos por meio dos *brainstormings*. Na fase final desta etapa já se pode incorporar algum conhecimento externo pela contratação de consultores especializados e treinamento do pessoal fora da empresa. Esta é a etapa mais fácil de produzir resultados. Na etapa seguinte, em que se desejam resultados que coloquem a empresa em condição de alta competitividade, é necessário agregar conhecimento não disponível mas que pode ser desenvolvido pela análise na solução de problemas, aí incluídos a Pesquisa e Desenvolvimento (não necessariamente feitos em laboratório). Esta é a etapa mais difícil e exige grande esforço por parte da empresa e do pessoal, mas que apresenta altas oportunidades de crescimento profissional para as pessoas da organização e de alcance de resultados extraordinários.

10.3 Gestão do Conhecimento

Uma empresa que se aprofunda na prática de buscar, cada vez mais, melhores resultados por meio de todas as pessoas acaba por gerar uma quantidade enorme de conhecimento, que deve ser gerenciado de forma que se possa fazer dele o melhor uso. Existe uma correlação direta entre conhecimento praticado na organização e o nível de resultados que é atingido.

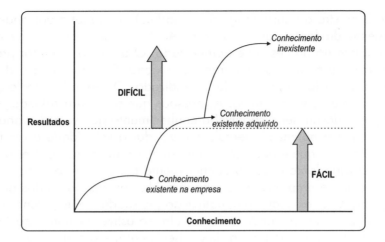

Figura 10.4: Modelo das etapas de agregação de conhecimento na organização.

Este tipo de conhecimento é adquirido:

(a) pela prática da análise e da síntese das informações na fase de planejamento,

(b) pela absorção, durante a análise, do conhecimento técnico existente dentro ou fora da organização, para que aquela meta seja atingida e

(c) pela simples cópia das melhores práticas existentes.

Hansen *et alii*[13] desenvolveram um estudo sobre a forma de gerir este conhecimento em várias empresas e identificaram dois tipos de gerenciamento do conhecimento: *codificação* e *personificação*. A utilização de um ou de outro procedimento vai depender do tipo de atividade desenvolvida com o conhecimento.

A estratégia de *codificação* é utilizada sempre que o conhecimento possa ser facilmente padronizável e transferido para manuais, bancos de dados ou softwares e utilizados em várias frentes de forma repetitiva. Este conhecimento é do tipo explícito, como proposto por Nonaka e Takeuchi[12], ou seja, pode ser extraído e tornado independente da pessoa que o detém e utilizado facilmente para vários fins.

A estratégia de *personificação* é utilizada quando existe a dificuldade de tornar explícito o conhecimento como no caso anterior. Ela depende do detentor do conhecimento para que a sua transferência possa ser feita para outra pessoa. Neste caso, existe muito conhecimento do tipo tácito, segundo Nonaka e Takeuchi[12].

Finalmente, vale dizer que as duas estratégias podem ser utilizadas em conjunto desde que isto seja de forma consciente, mas sempre existirá, dependendo do tipo de negócio, a prevalência determinante de uma delas, numa proporção aproximada de 80/20[13].

Resumindo: a estratégia de *codificação* pode ser utilizada quando a empresa comercializa produtos padronizados, maduros e se baseia em conhecimento explícito. A estratégia de *personificação* pode ser utilizada quando a empresa comercializa produtos personalizados, pratica muita inovação e se baseia em conhecimento tácito.

Parte IV

Mensagem Final

Parte IV

Mensagem Final

Mensagem Final

Mensagem Final

A menos do Apêndice, que é de conteúdo técnico, chega ao final a mensagem deste texto. Neste ponto eu me pergunto: o que gostaria que meu leitor guardasse em sua memória e transformasse em ação?

Passo a relatar:

1. Gerenciar uma empresa ou parte desta é objetivar resultados cada vez melhores e mudar continuamente a empresa no sentido de provocar e acompanhar as mudanças da sociedade. A mudança é o normal. A meta e o método são os instrumentos da mudança.

2. Trabalhe para focar a empresa nos interesses de seus *stakeholders*, com ênfase no foco financeiro.

3. A melhor maneira de focar nos *stakeholders* é trabalhar o Gerenciamento Funcional, que é difícil de implementar e exige muito bom entendimento do conceito de sistemas.

4. Desenvolva o seu pensamento sistêmico. Procure entender o básico de Engenharia de Sistemas, Desenvolvimento de Sistemas e Desdobramento de Funções (em especial o Desdobramento da Função Qualidade - QFD).

5. O sistema empresarial tem três níveis: organização, processos e operações. Cada um destes níveis tem sua meta, seu projeto e seu gerenciamento (método).

6. Não descuide do reprojeto constante de cada um destes níveis.

7. A chave para o seu bom desempenho como líder é o resultado obtido e este só é viabilizado pelo conhecimento. Você depende de pessoas. Cuide do "Conteúdo da Liderança".

8. O conhecimento só é adquirido pelo entendimento. Saber apresentar uma idéia é vital.

9. O conhecimento se origina de três fontes: melhores práticas, informações e pessoas.

10. Quanto melhor a consistência das operações (bom Gerenciamento da Rotina) maior a possibilidade de absorção do conhecimento sob a forma de resultados consistentes na empresa.

11. Só se adquire o conhecimento contido nas informações por meio da prática da análise e da síntese de sistemas.

12. A informática está mudando tudo neste mundo. Já mudou muito o gerenci-

amento. Cuide de seu banco de dados e de sua utilização para gerar conhecimento.

13. O conhecimento contido nas pessoas é adquirido de várias maneiras: aulas, livros, congressos, consultores, etc. Mantenha a organização aberta ao conhecimento externo!

14. Como o conhecimento é sempre adquirido por pessoas, cuide para que a motivação (saúde mental) de sua equipe seja a melhor possível e que pessoas certas estejam em lugares certos (meritocracia). Cuide para que seja cultivada uma cultura da excelência e de elevado desempenho.

15. Nunca tome como pressuposto que as ações de um Plano de Ação serão executadas automaticamente. Vá lá e confira. Somos todos procrastinadores.

16. A utilização de modelos é muito importante na análise, na síntese, no aprendizado e na comunicação. Os modelos são importantes nas organizações.

17. Finalmente, peço a sua reflexão para o fato de que, quer queiramos ou não, sua organização é uma escola. Quanto melhor for a escola, melhores serão os resultados.

Uma empresa é um mundo infinito de possibilidades. Existe hoje uma quantidade de conhecimento que está muito à frente do que é praticado mesmo nas melhores empresas. Por mais que se queira desenvolver as pessoas da empresa e correr para aprender e aplicar todas estas coisas, o mundo da tecnologia tem andado mais rapidamente. Até mesmo as universidades têm tido dificuldades em atualizar seus currículos de ensino com todo este conhecimento desenvolvido. Existe e sempre existirá um vasto campo de avanço para as empresas.

> *Lembro-me de que tinha uns 7 a 8 anos, morava em Niterói e, certo dia, depois do almoço, fui brincar na casa de meu amigo Roberto. Eles estavam fazendo uma reforma na casa e lá havia um belo monte de areia. Decidimos então construir uma cidade sobre o monte, com ruas, pontes, casas, etc. Lá pelas seis da tarde o Roberto falou: "Cabeça, (este era meu apelido, dado o tamanho de minha cabeça...) terminamos a cidade!". O meu sentimento de tristeza e frustração foi tão grande que até hoje eu me lembro de tudo nos detalhes. Senti um grande vazio, difícil de explicar. Eu aprendi em minha vida que o bom é construir. Temos que estar construindo sempre! Concluir que se chegou ao final da construção causa um sentimento de tristeza inexplicável.*

Ainda bem que nas empresas nunca será assim. Não existe fim para a alegria de construir uma grande empresa. Aquela alegria profunda, de total imersão, que senti ao construir uma cidade num monte de areia, com meu melhor amigo, desejo a todos vocês!

Parte V

Apêndice
Modelos do Alvo

APÊNDICE Modelos do Alvo

A essência do trabalho de inteligência (análise) envolve a criação de um modelo do Alvo e, como consequência, a extração de conhecimento deste.

Robert M. Clark

A.1 Tipos de modelos

O conteúdo deste Apêndice tem como objetivo dar uma idéia ao leitor da infinidade de modelos existentes (recentemente adquiri a obra de Harris[28] com 450 páginas, descrevendo milhares de tipos de modelos como instrumentos visuais para análise, gerenciamento e comunicação). Portanto, seu conteúdo não exaure o tema e o leitor interessado deve consultar a literatura.

Como foi visto no Capítulo 5, item 5.4, modelos são concepções mentais utilizadas para permitir o entendimento de situações complexas. Estes modelos são utilizados em análise e síntese para melhorar as condições de planejamento e reduzir as incertezas no processo de tomada de decisões.

Um modelo é uma estrutura, um plano, uma representação (especialmente em miniatura), ou uma descrição projetada para mostrar o objeto principal ou o funcionamento de um objeto, um sistema, ou um conceito[17]. Um modelo é uma réplica[2] ou representação de uma idéia, um objeto ou um sistema. Um modelo descreve, aproximadamente, como um sistema se comporta. A Figura A.1 mostra uma hierarquia de modelos.

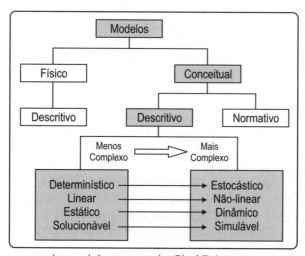

Figura A.1: Hierarquia de modelos, segundo Clark[2] (em cinza os modelos de maior interesse para a análise).

Um Modelo Físico é uma representação tangível de algo. Um mapa ou um globo são a representação tangível de partes da Terra, como mostra a Figura A.2. Um *mockup*, utilizado para ensino, demonstração, teste de projeto ou promoção é um modelo tangível de uma estrutura (por exemplo, avião, edifício, automóvel).

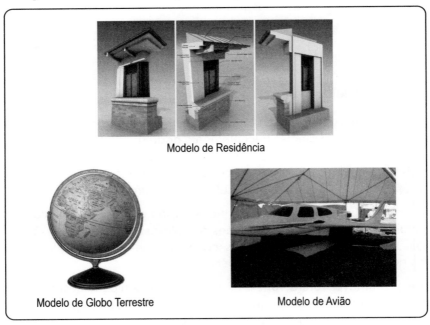

Figura A.2: Exemplos de Modelos Físicos.

Um Modelo Conceitual, como o próprio nome diz, é um conceito, uma concepção da mente. Ele não é tangível e é um produto da imaginação (muito embora o item que ele representa possa ser tangível). Os modelos matemáticos, os gráficos, os diagramas de árvore, os diagramas de relação, as matrizes, os fluxogramas, etc., são modelos conceituais. Este tipo de modelo permite ao analista descrever objetos ou situações em termos abstratos para não só mostrar a situação atual do sistema, mas também fazer previsões futuras. A Figura A.3 mostra alguns exemplos de modelos deste tipo.

Um *Modelo Conceitual Normativo* busca as melhores situações para o sistema e é um modelo que ajuda no processo decisório, ou seja, é um modelo utilizado para sugerir as melhores opções ou para escolher a melhor opção. Estes modelos são muito úteis em certas aplicações. Por exemplo: um vendedor, ao entrar num PDV (Ponto de Venda) não tem condições de lembrar e processar informações tais como: limite de crédito do PDV, nome do dono, produtos mais vendidos, etc. Um modelo conceitual normativo, operando seu PDA (*Personal Digital Assistant*), lhe dá todas estas informações, sugerindo inclusive o que vender, os descontos possíveis, novos produtos a serem ofertados, etc. O vendedor não tem que pensar: uma equipe de analistas altamente qualificados, por meio do modelo, estará fazendo isto por ele, 24 horas por dia, faça sol ou chuva, incansavelmente! Modelos deste tipo são também utilizados na automação de processos para manter as suas condições operacionais sempre em situações ótimas dadas as circunstâncias do momento e outras infinitas aplicações. Um modelo conceitual normativo não tem muito interesse para o analista, pois certamente o sistema já foi descrito, analisado e otimizado.

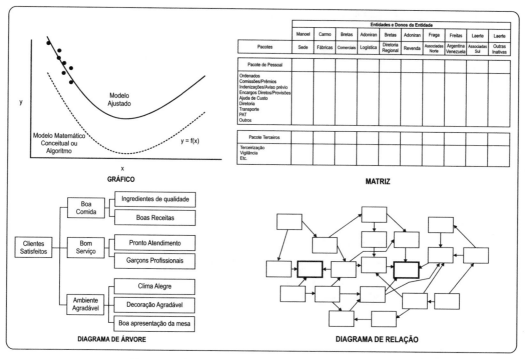

Figura A.3: Exemplos de Modelos Conceituais.

Os modelos de maior interesse para o analista são os *Modelos Conceituais Descritivos*, que procuram descrever o comportamento de sistemas considerando sua função, estrutura ou processos. Eles podem ser de vários tipos, descritos a seguir. Toda a área colocada em cor cinza na Figura A.1 equivale aos modelos de maior interesse para o analista.

Um *Modelo Conceitual Descritivo Determinístico* é o que apresenta relações conhecidas e explicitamente especificadas. Um modelo determinístico não apresenta relações de incerteza, que são características de modelos estocásticos. O detalhamento de um equipamento ou a planta baixa de uma fábrica com suas medidas e especificações são determinísticos, como mostra a Figura A.4.

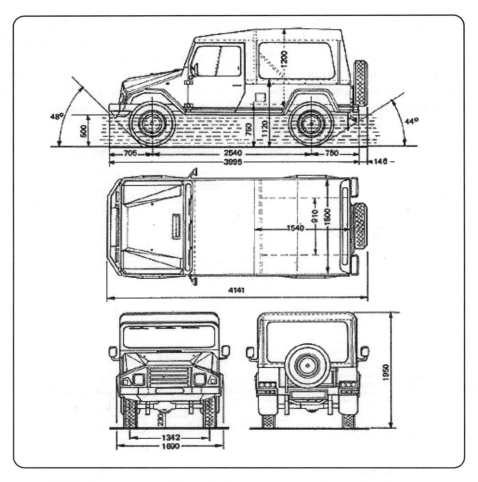

Figura A.4: Exemplo de um Modelo Conceitual Descritivo Determinístico.

Um *Modelo Conceitual Descritivo Estocástico* é aquele que, muito embora possa ter propriedades determinísticas, apresenta incertezas que envolvem probabilidades. Por exemplo, um balanço de massas de um forno de aço é um modelo que tem propriedades determinísticas, já que sabemos que dentro do forno nada se cria ou perde mas tudo se transforma (a quantidade de átomos de ferro que entra no forno é a mesma que sai). No entanto, sabemos que a composição química das matérias-primas varia, bem como existem incertezas associadas aos próprios métodos analíticos de laboratório, o que o torna um modelo conceitual descritivo estocástico. Os números variam dentro de certos limites.

Um *Modelo Conceitual Descritivo pode ser Linear ou Não-Linear*. Um modelo linear usa somente relações lineares (por exemplo: y=a+bx) para descrever relacionamentos. A situação real pode não ser linear mas pode ser descrita por relações lineares. A produção de uma linha de alimentos é uma função linear do tempo. Modelos não-lineares são mais difíceis de trabalhar e nem sempre é possível analisá-los (a maioria dos sistemas complexos são não-lineares). A prática é fazer um compromisso de forma que um modelo linear possa ser utilizado. A descrição da economia de um país é não-linear mas modelos lineares são utilizados para facilitar a solução.

Os *Modelos Conceituais Descritivos* podem também ser *Estáticos* ou *Dinâmicos*. Por exemplo, pode-se analisar o fluxo de um processo sem levar em conta o tempo e neste caso tem-se um modelo estático. Ignoram-se as variações com o tempo (é como se fosse analisada uma fotografia do processo). Os modelos dinâmicos, por outro lado, consideram as variações do fluxo do processo com o tempo e o efeito de modificações no tempo 1 sobre o tempo 2. Os modelos de processo são normalmente dinâmicos porque consideram o fluxo de materiais, a passagem do tempo e o *feedback* (como variam os indicadores). A análise dinâmica de processos, comparando-se o fluxo atual de materiais com um fluxo ideal sem as restrições existentes leva, por exemplo, à identificação de lacunas de desempenho, que podem então ser resolvidas por meio do bom gerenciamento, como mostrado neste texto. Isto é a base do que se denomina, erradamente, *lean management*, como se fosse um método gerencial diferente. O que hoje se denomina *lean management* é apenas o método gerencial normal, como descrito neste texto, no qual se utiliza a análise dinâmica de processos para o levantamento de lacunas e consequente estabelecimento de metas.

Finalmente, os *Modelos Conceituais Descritivos* podem ser *Solucionáveis* ou *Simuláveis*. Um modelo solucionável é aquele em que existe um meio analítico de encontrar uma resposta. No entanto, problemas complexos não podem ser solucionáveis utilizando um conjunto de equações. Nestes casos utiliza-se a simulação. Um modelo solucionável permite determinar a solução ótima. Um modelo de simulação, por outro lado, requer do usuário a introdução de soluções possíveis e o modelo fornece os resultados para cada solução. Cabe ao usuário escolher a solução que mais lhe agrada.

Um modelo de simulação é um instrumento poderoso em muitas circunstâncias por permitir avaliar o desempenho de um sistema fora de sua faixa de trabalho normal o que seria difícil, por vezes perigoso e caro, em sistemas reais.

A.2 Combinação de Modelos

Um modelo qualquer, modelo genérico, ao ser utilizado, dependendo das informações que são levantadas, pode requerer que algumas partes sejam detalhadas com maior precisão ou, ainda, que outro tipo de modelo do mesmo alvo seja explorado para que se tenha uma outra visão do problema. Como consequência, teremos o modelo, submodelos e modelos colaterais como mostra a Figura A.5.

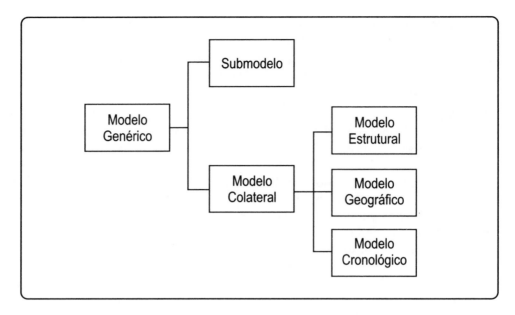

Figura A.5: Esquema da abertura de um modelo.

A Figura A.6 mostra o macrofluxograma de um processo de repressão ao crime. Esta figura mostra um modelo de como flui o processo de repressão, mostrando o gargalo e os estoques formados. Este é um modelo genérico. Após o levantamento de informações sobre este modelo, pode ser necessário conhecer um pouco melhor o gargalo (sistema penitenciário) e portanto o analista terá que levantar dados adicionais sobre este ponto do fluxograma, traçando então um submodelo como mostra a Figura A.7. Um submodelo é, portanto, um detalhamento de parte de um Modelo estabelecido para o Alvo.

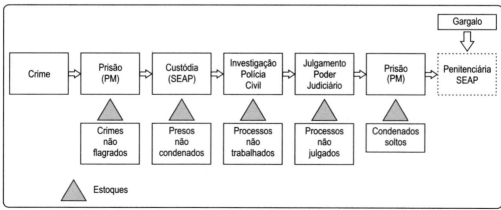

Figura A.6: Modelo do Sistema de Repressão ao Crime de um Estado (Modelo Genérico).

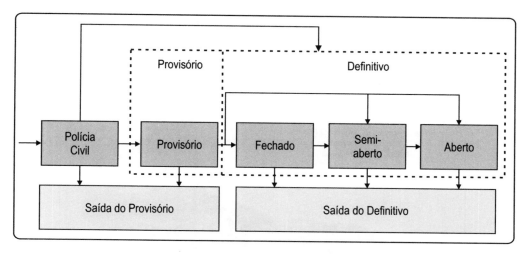

Figura A.7: Submodelo do sistema de repressão ao crime, mostrando um detalhamento maior do sistema penitenciário.

Durante o processo de análise pode ser necessário obter uma maneira de pensar diferente do alvo ou parte deste. Para esta finalidade pode ser utilizado um outro modelo. Um Modelo assim utilizado é denominado um Modelo Colateral. Por exemplo, suponha que se queira conhecer melhor como se organiza o sistema de repressão ao crime mostrado na Figura A.6. Para tanto pode ser utilizado um modelo, como mostrado na Figura A.8, que represente uma organização. O modelo mostrado na Figura A.8 é um Modelo Colateral Estrutural.

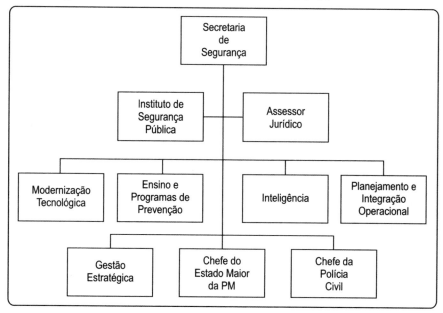

Figura A.8: Modelo Colateral Estrutural de um sistema de repressão ao crime de um Estado.

O Modelo Colateral pode também ser Geográfico, para mostrar situações em que a distribuição geográfica de algo possa ser de interesse para a análise do problema. O Modelo Colateral Geográfico é muito utilizado para a análise da distribuição do problema em determinado espaço. A Figura A.9 mostra um modelo deste tipo.

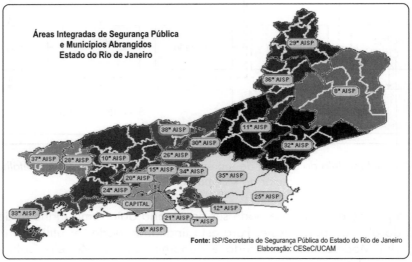

Figura A.9: Modelo Colateral Geográfico do sistema de repressão ao crime.

O Modelo Colateral pode ainda ser Cronológico, para analisar situações de tempo em que o problema a resolver seria, por exemplo, o "elevado tempo para condenação do criminoso", como mostrado na Figura A.10.

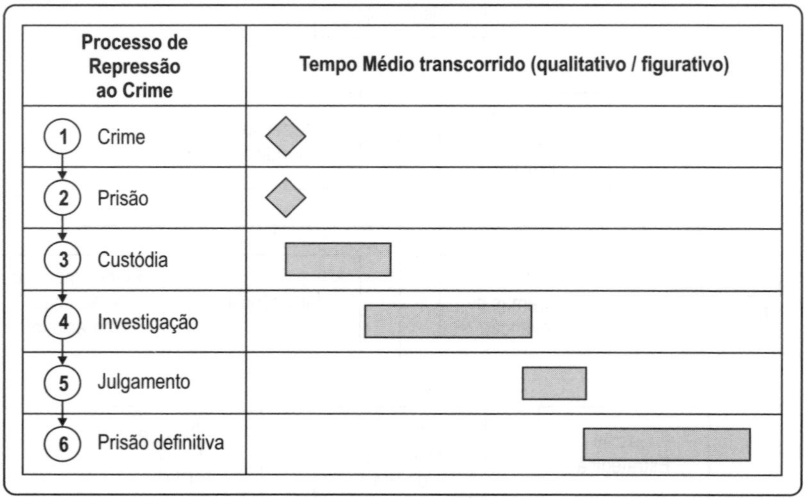

Processo de Repressão ao Crime	Tempo Médio transcorrido (qualitativo / figurativo)
(1) Crime	◇
(2) Prisão	◇
(3) Custódia	▭
(4) Investigação	▭
(5) Julgamento	▭
(6) Prisão definitiva	▭

Figura A.10: Modelo Colateral Cronológico do sistema de repressão ao crime.

Repare que as Figuras A.8 e A.9 podem ser utilizadas na Análise Estrutural de sistemas e a Figura A.10 pode ser utilizada tanto na Análise do Processo do problema como também em sua Análise Funcional (uma das funções do sistema de repressão é levar à prisão definitiva em um certo tempo).

Na prática vários modelos do Alvo são utilizados simultaneamente num processo interativo para melhorar a extração de conhecimento e o entendimento. Na análise os modelos são normalmente conceituais e descritivos, como é mostrado na área cinza da Figura A.1. Dentre estes modelos, os mais fáceis de trabalhar são os modelos determinísticos, lineares, estáticos e solucionáveis (ver Figura A.1) ou a combinação destes. Infelizmente, a grande maioria dos modelos do Alvo na análise de organizações tendem a ser estocásticos, não-lineares, dinâmicos e simuláveis!

O modelo de alvos complexos será uma coleção de modelos que servem para clarear o comportamento do sistema quanto ao problema resolvido, bem como à comunicação entre as várias pessoas que participam da solução do problema ou que necessitam saber como ele está sendo resolvido.

A.3 Tipos de Modelos Utilizados em Análise

No item anterior foram mostrados alguns tipos de modelos genéricos. Existem vários modelos que são utilizados para os mais variados fins. A Figura A.11 mostra uma tentativa de classificação, certamente não exaustiva, destes modelos e ao longo deste item daremos maior importância a alguns tipos de modelos pela popularidade de seu uso.

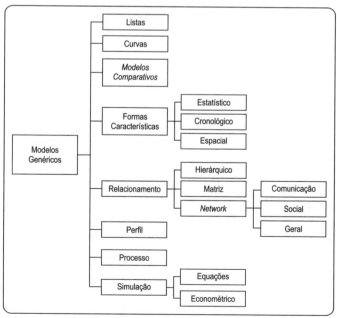

Figura A.11: Relação de famílias de modelos.

Listas

Estes são os tipos de modelos mais simples e consistem em listas do tipo "vantagens" e "desvantagens" de certa opção. Um outro uso destas listas é comparar dois produtos que estão sendo considerados para compra listando o desempenho de cada um, item a item. Este tipo de modelo é de uso amplo para vários fins, inclusive comerciais.

Curvas

As curvas são, provavelmente, os modelos mais usados em análise quando se deseja verificar o comportamento de determinada variável ao longo do tempo ou em função da variação de outra variável.

Quando se analisa uma variável em função do tempo, em certos casos já se conhece a forma da curva com antecedência e isto ajuda o analista a projetar o futuro. Por exemplo, como mostra a Figura A.12, pode-se perfeitamente esperar que a curva de utilização das reservas mundiais de petróleo tenha a forma indicada, ou seja, a produção vai aumentando até que atinja um máximo e depois tenha que cair até o esgotamento. No caso de um bem finito permanente, como é o caso de terras cultiváveis, espera-se que a curva suba até certo limite e aí permaneça, pois não existirão mais terras disponíveis.

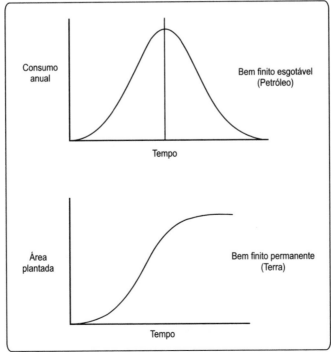

Figura A.12: Curvas como modelo conceitual de utilização de bens.

Algumas vezes a forma teórica da curva que representa o fenômeno intangível é conhecida e não coincide perfeitamente com os dados reais. Nestes casos o conhecimento da forma teórica (linha tracejada da Figura A.13) ajuda o analista a ajustar a curva teórica aos dados reais coletados, obtendo, assim, uma nova curva que representa razoavelmente bem o fenômeno. Este modelo linear ajustado (linha cheia da figura) permite fazer previsões de comportamento do alvo fora dos limites usuais nos quais os dados foram coletados. A área indicada pelo ponto de interrogação é a região de comportamento desconhecido mas previsível pelo modelo.

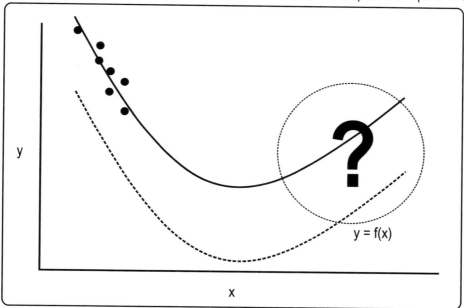

Figura A.13: Curvas mostrando o modelo teórico (linha tracejada) e o modelo ajustado (linha cheia).

Modelos Comparativos

Os modelos comparativos são muito utilizados, pois determinar lacunas é o primeiro passo para estabelecer metas, que são o início do gerenciamento.

Estes modelos comparativos são utilizados por governos e empresas para comparar desempenhos, práticas operacionais, produtos, tecnologias, etc. Este processo de comparação no qual são utilizados estes modelos é chamado *benchmarking*.

Existem problemas associados a processos de comparação. Um deles, que vejo sempre acontecer, é o problema de querer adotar uma "melhor prática". Por exemplo, algumas empresas veem na Toyota um bom exemplo e querem adotar o que chamam de *lean management,* sem imaginar o que existe por trás dos métodos utilizados por aquela empresa, principalmente em termos de educação, nível de conhecimento e disciplina do pessoal. Vejo algumas empresas com siglas de *Just-in-Time* em seus caminhões quando na realidade é um arremedo do *stockless production* da Toyota. Isto não quer dizer que uma boa prática não pode ser adotada, mas é necessário saber se o local onde se pretende adotar a nova prática está pronto para isto. Em geral, boas práticas são mais facilmente adotadas no nível do trabalho (nas operações), são mais difíceis no nível do processo e dificílimas no nível da organização (ver Figura 4.1).

Um outro aspecto da utilização destes modelos comparativos é o cuidado que se deve ter ao fazer comparações. Temos sempre que ter a certeza, ou estar próximos disto, que é possível comparar coisas do mesmo conglomerado (*cluster*) e de preferência com a ajuda de indicadores.

Formas Características

Os modelos de Formas Características identificam comportamentos de elementos do alvo, determinando:

(a) Se o comportamento representa um desvio do que se conhece ou se espera.

(b) Se as mudanças são suficientemente importantes a ponto de merecer atenção.

Hoje em dia o computador tem modificado profundamente as análises com estes modelos, pois os softwares existentes podem, em pouco tempo, mostrar tendências e permitir ao analista identificá-las. Este tipo de análise multivariada é hoje conduzida em grandes bancos de dados, o que seria impossível de ser feito à mão.

Existem três tipos de Modelos de Formas Características que podem ser utilizados: estatístico, cronológico e espacial. A grande maioria dos modelos de formas características é estatística. O histograma (ver Figura 6.2) é um exemplo. Existem hoje softwares que separam os dados de um banco de dados em conglomerados diferentes por sua característica, oferecendo ao analista grande ajuda em separar informações de interesse para o problema que se quer resolver.

Os modelos de formas características cronológicos são os que ajudam na análise de variação de informação ao longo do tempo (ver Figura A.10) e permitem comparar dados de um ano com outro, para verificar variações bem como permitem predizer comportamentos futuros.

Os modelos de formas características espaciais exploram as variações em função do local. Dependendo da distribuição das informações obtidas em função do local, podem-se identificar comportamentos tendenciosos e, portanto, característicos. A Figura A.14 é um modelo deste tipo, mostrando, de forma simulada, a concentração de eventos criminosos na área central de Belo Horizonte, Brasil.

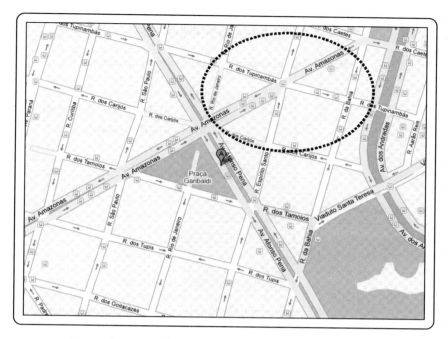

Figura A.14: Modelo de Forma Característica Espacial.

Modelos de Relacionamento

Os Modelos de Relacionamento são trabalhosos para criar (demandam muita coleta de informações para confirmá-los) mas são também muito poderosos para convencer os participantes dos resultados.

Os Modelos de Relacionamento são os mais utilizados em análise e síntese. Eles ajudam a estudar o relacionamento de organizações, pessoas, lugares, coisas e eventos. Existem três níveis destes modelos, que utilizam abordagens analíticas crescentemente sofisticadas:

(a) O **Modelo de Relacionamento Hierárquico**, o mais simples, é um Diagrama de Árvore.

(b) O **Modelo de Relacionamento de Matriz** mostra o cruzamento de dois ou mais diagramas de árvore em um mesmo nível.

(c) O **Modelo de Relacionamento de Network** mostra o cruzamento de vários Diagramas de Árvore em vários níveis diferentes.

Modelo de Relacionamento Hierárquico (Diagramas de Árvore) - Este modelo é um dos mais utilizados em análise e tem como função principal dividir o problema maior em problemas menores ou dividir um objeto grande ou complexo, como uma organização, um grande equipamento, etc., em suas partes ou componentes. A Figura A.15 mostra o início da construção de um Diagrama de Árvore e duas exigências que devem ser atendidas: o MECE e o relacionamento causa-efeito.

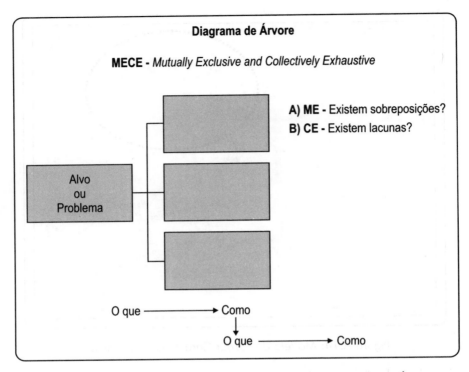

Figura A.15: Condições para a construção de um Diagrama de Árvore.

A condição MECE (Mutually Exclusive and Collectively Exhaustive) é conhecida por ser muito utilizada pela empresa de consultoria McKinsey Co. O princípio é simples: a cada abertura da árvore devem ser feitas duas perguntas que garantam que não haja sobreposições e que nada foi deixado de fora. Estas duas perguntas estão apresentadas na figura. A outra condição é a garantia do relacionamento causa-efeito, o que é feito a cada abertura, com as perguntas "O quê?" e "Como?", como mostra a figura. As Figuras 8.3 e 6.5 são dois exemplos utilizados neste texto e que se conformam com as condições acima.

Os Diagramas de Árvore podem ainda ser usados para outros fins, tais como, por exemplo, tomada de decisão (árvores lógicas) e análise de falhas.

Modelo de Relacionamento de Matriz - O Diagrama de Matriz é, como mostra a Figura A.16, a interação entre dois Diagramas de Árvore. Quando se deseja analisar a interação qualitativa ou quantitativa entre duas estruturas, a matriz de interação é o ideal. Por exemplo, quando se deseja analisar a estrutura de custos em função da estrutura organizacional (para localizar as variações de custos dentro da organização), teremos a análise matricial de custos, e assim por diante para qualquer tipo de análise desejada. A matriz é um poderoso instrumento de análise e comunicação.

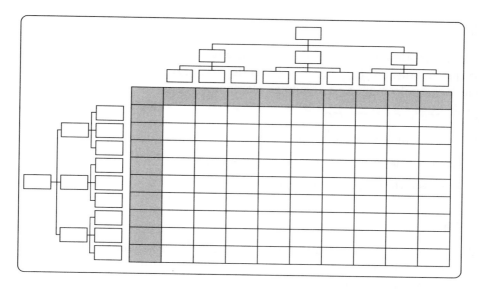

Figura A.16: Modelo de Relacionamento de Matriz (Diagrama de Matriz).

Modelo de Relacionamento de Network - Tanto o Diagrama de Árvore quanto o Diagrama de Matriz apresentam limitações quando mais de duas dimensões têm que ser representadas. Para representar situações de mais de duas dimensões, utiliza-se o Modelo de Relacionamento de Network, que pode ser de três tipos: Comunicação (utilizado por pessoal de engenharia e comunicação para projetar e antever o desempenho de redes de comunicação); Social (mostra tipos de relacionamentos de pessoas e é muito utilizado por pessoal da área de segurança) e Geral (tipo mais usado em análise e utilizado para relacionar qualquer entidade: pessoas, lugares, coisas, conceitos). Veremos apenas o último, na forma do Diagrama de Relação, como mostra a Figura A.17. O método de construção deste modelo é bem coberto na literatura.

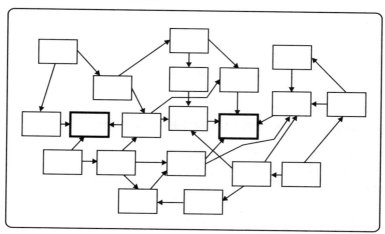

Figura A.17: Modelo de Relacionamento de Network.

Perfil

Perfil é um modelo de um indivíduo. O objetivo de fazer o perfil é ajudar a predizer o que o indivíduo fará num conjunto de circunstâncias. O modelo de personalidade inclui pelo menos os seguintes elementos:

(a) Conceito de si mesmo.

(b) Relacionamento com a autoridade.

(c) Controle de impulso e de expressar emoções.

(d) Processo de formar e manipular idéias.

Processo

O Modelo de Processo é usado para representar uma sequência de valores agregados para produzir um produto. É um dos mais importantes modelos utilizados pelo analista, juntamente com os modelos de estrutura, simplesmente pelo fato de que sistemas são constituídos de estrutura, processos e função. Neste texto este modelo já foi substancialmente explicado.

Simulação

Na língua portuguesa falada no Brasil, quando se diz que um problema "está equacionado" é porque já está "quase resolvido". E é verdade. O sonho de qualquer analista é equacionar um problema, não só porque a solução está pronta como porque se podem explorar outras situações com as equações.

Modelos de Simulação são descrições matemáticas dos inter-relacionamentos que podem determinar o comportamento do sistema. As equações existentes em modelos de simulação não podem ser resolvidas simultaneamente.

A simulação pode ser usada em situações determinísticas ou estocásticas. Uma planilha eletrônica é um modelo determinístico. Para situações estocásticas tem sido utilizado o modelo de simulação de Monte Carlo. O desafio neste caso é selecionar o tipo certo de incerteza para as variáveis independentes de tal modo que se possa construir, por meio da simulação, a curva de distribuição para a variável dependente.

A.4 Resumo Geral do Processo de Análise e Síntese

A Figura A.18 mostra um modelo criado para procurar clarear o processo de análise e síntese utilizado para conhecer melhor um alvo e eventualmente obter um melhor conhecimento técnico dele. Na figura, partindo-se de um problema do mundo real (geralmente uma situação complexa), criam-se modelos para procurar visualizar aquela situação complexa ou criar um modelo mental sobre o qual se possa raciocinar. Tendo como base estes modelos, utiliza-se a informação para compor o conhecimento sobre o alvo num processo interativo, pois novas informações podem nos ajudar a criar outros modelos para entender cada vez mais o alvo e eventualmente dominá-lo por meio de modelos matemáticos ou de simulação. Uma vez que se tenha um Modelo Final, um Modelo Matemático ou um Modelo Computacional, pode-se compreender, interpretar, calcular ou simular o alvo. Teremos o problema resolvido.

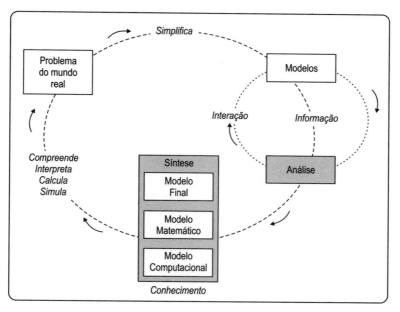

Figura A.18: Modelo do processo de análise e síntese utilizando modelos.

A análise mencionada na Figura A.18 engloba todas as análises antes mencionadas: Análise do Fenômeno (Análise Funcional, Análise Estrutural Vertical e Horizontal) e Análise de Processo, que conduzem ao completo entendimento do alvo. Os modelos são figuras mentais que auxiliam o processo de análise, de entendimento e de comunicação.

Bibliografia Citada

1 WELCH, Jack; WELCH, Suzy. *Winning*. New York: Harper Collins, 2005. 372 p.

2 CLARK, Robert M. *Intelligence analysis*; a target centric approach. 2nd. ed. Washington: CQ Press, 2007. 321p.

3 DESCARTES, René. *Discurso do método*; regras para a direção do espírito. São Paulo: Martin Claret, 2005. 144 p.

4 MASLOW, Abraham H. *Motivation and personality*. 2nd. New York: Harper & Row, 1954. 369 p.

5 CAMPOS, Vicente Falconi. *Gerenciamento da rotina do trabalho do dia a dia*. 8.ed. Nova Lima (MG): INDG TecS, 2004. 266 p.

6 WEBER, Max. *The theory of social and economic organization*. London: William Hodge & Co, 1947

7 CAMPOS, Vicente Falconi. *Gerenciamento pelas diretrizes*; (Hoshin Hanri). 4. ed. Nova Lima (MG): INDG TecS, 1996. 300 p.

8 BERTALANFFY, Ludwig von. *General systems theory*; foundations, development, applications. New York: George Braziller, 1968. 295 p.

9 SHINGO, Shigeo. *A study of the Toyota production system*; from an industrial engineering viewpoint. Edição revisada. New York: Productivity Press, 1989. 257 p.

10 McGREGOR, Douglas. *The human side of enterprise*. 25th Anniversary Imprensa [EDIÇÃO ESPECIAL] (Hardcover). New York: McGraw-Hill, 1985. 243 p.

11 OLIVEIRA, Carlos Augusto de. *Inovação da tecnologia, do produto e do processo*. Nova Lima (MG): EDG, 2003. 310 p.

12 NONAKA, I.; TAKEUCHI, H. *The knowledge-creating company*; how japanese companies create the dynamics of innovation. Oxford: Oxford University Press, 1995. 270 p.

13 HANSEN, M. T.; NOHRIA, N.; TIERNEY, T. What's your strategy for managing knowledge? *Harvard Business Review*, v.77, p.106-116. Mar./Apr, 1999.

14 FERREIRA, Aurélio B. H. *Novo dicionário da língua portuguesa*. 2.ed. Rio de Janeiro: Nova Fronteira, 1986.

15 HINO, Satoshi. *Inside the mind of toyota - management principles for enduring growth*. New York: Productivity Press, 2002. 327 p.

16 ULRICH, D.; KERR, S.; ASHKENAS, R. *O Work-Out da GE*; como implementar o revolucionário método da GE para eliminar a burocracia e atacar os problemas organizacionais - rápido! Rio de Janeiro: Quality Mark, 2003. 358 p.

17 Wikipedia. The Free Enciclopédia. Disponível em: <http://en.wikipedia.org/wiki/Model>. Acesso em: fev. 2009

18 MINTO, Bárbara. *The Minto pyramid principle*; logic in writing, thinking and problem solving. Minto International Inc., 1996. 253 p.

19 LANE, Bill. *Jacked Up*; the inside story of how Jack Welch talked GE into becoming the world's greatest company. New York: McGraw Hill, 2008. 324 p.

20. FRIGA, Paul N. *The McKinsey engagement*; a powerful toolkit for more efficient & effective team problem solving. New York: McGraw Hill, 2009. 247 p.

21 SOBEK, Durward K. *et al.* *Understanding A3 thinking*; a critical component of Toyota's PDCA management system. Boca Raton, Florida: CRC Press, 2008. 165 p.

22 WHEELER, Donald J. *Entendendo a variação*; a chave para administrar o caos. Rio de Janeiro: Qualitymark, 2001. 140 p.

23 HOSOTANI, Katsuya. *The QC problem solving approach*; solving workplace problems the Japanese way. Tokyo: 3A Corporation, 1989. 168 p.

24 Haines, Stephen G. *System thinking & learning*. Amherst: HRD Press, 1998. 218 p.

25 RUMMLER, Geary A. *Serious performance consulting*; according to rummler. OR, USA: John Wiley & Sons, 2007. 176 p.

26 PORTER, Michael E. *Competitive advantage*; creating and sustaining superior performance. New York: The Free Press, 1985.

27 DRUCKER, Peter F. *Managing for the future*; the 1990's and beyond, New York: Truman Talley Books/Dutton, 1992.

28 HARRIS, Robert L. *Information graphics*; a comprehensive illustrated reference. Oxford: Oxford University Press, 1999. 448 p.

29 FORRESTER, Jay W. Designing the future, 1998. Disponível em: <http://sysdyn.clexchange.org/sdep/papers/Designjf.pdf.>.

30 SENGE, Peter M. *A quinta disciplina*. São Paulo: Best Seller, 1990.

31 CAMPOS, Vicente Falconi. *Qualidade total*; padronização de empresas. Nova Lima (MG): INDG TecS, 2004. 142 p.

Índice Remissivo

O

P